CB073355

DEIVE LEONARDO

Devocional alegria do amanhecer

Uma caminhada de 40 dias
para renovar sua esperança

quatro ventos

quatro ventos

Editora Quatro Ventos
Avenida Pirajussara, 5171
(11) 99232-4832

Diretor executivo: Raphael Koga
Editora-chefe: Sarah Lucchini
Coordenação do projeto: Rebecca Gomes
Equipe do projeto: Brenda Vieira
Manuella Vieira
Equipe Editorial: Isabela Bortoliero
Lucas Benedito
Paula de Luna
Revisão: Eliane Viza B. Barreto
Projeto gráfico: Matheus Lazzarin
Ilustração: Carolina M. J. Mano
Vivian de Luna
Diagramação: Thalita Vitoria O. Santos
Capa: Lira Lira

Todos os direitos deste livro são reservados pela Editora Quatro Ventos.

Proibida a reprodução por quaisquer meios, salvo em breves citações, com indicação da fonte.

Todas as citações bíblicas e de terceiros foram adaptadas segundo o Acordo Ortográfico da Língua Portuguesa, assinado em 1990, em vigor desde janeiro de 2009.

Todo o conteúdo aqui publicado é de inteira responsabilidade do autor.

Todas as citações bíblicas foram extraídas da Nova Almeida Atualizada, salvo indicação em contrário.

Citações extraídas do site *www.bibliaonline.com.br/naa*. Acesso em junho de 2021.

1ª Edição: junho 2021
4ª Reimpressão: novembro 2023

Ficha catalográfica elaborada por Maria Alice Ferreira – CRB 8/7964

Leonardo, Deive

Devocional alegria do amanhecer / Deive Leonardo. -- 1. ed. -- São Paulo : Editora Quatro Ventos, 2021.

ISBN: 978-65-89806-08-0

1. Devoção 2. Fé (Cristianismo) 3. Oração - Cristianismo 4. Literatura devocional I. Título.

CDD: 242.2
CDU: 21-65061

Este devocional pertenece a:
_____

Sumário

01   Quem procura acha
      • 12 •

02   Deus fala comigo?
      • 16 •

03   Tudo em seu devido lugar
      • 20 •

04   Deus não tem memória curta
      • 24 •

05   Consciência pesada
      • 28 •

06   Quando a casa cai
      • 34 •

07   O tempo não cura
      • 38 •

08   Quebre o ciclo
      • 42 •

09   Isso não combina comigo
      • 46 •

10   Não enterre seus sonhos
      • 50 •

11 Prazer, o meu nome é Amor
• 56 •

12 O que é preciso para ser feliz?
• 60 •

13 Ontem, hoje e para sempre
• 64 •

14 Fome
• 70 •

15 Processos
• 74 •

16 Por que estou aqui?
• 80 •

17 Ninguém protege o que não é importante
• 84 •

18 Não importa quanto
• 88 •

19 Zona de conforto
• 92 •

20 Deserto
• 96 •

21 Tenha para quem ligar
• 104 •

22 Quando não tem mais jeito
• 110 •

23 Saiba nadar
• 116 •

24 Um passo de cada vez
• 120 •

25 A voz do povo é a voz de Deus?
• 124 •

26 E se eu tiver medo?
• 130 •

27 Menos é mais
• 134 •

28 Diga-me com quem andas...
• 138 •

29 Não desista
• 142 •

30 Deus não Se atrasa
• 146 •

31 Quanto custa ser fiel?
• 152 •

32 Cuidado para não cair
• 158 •

33 Perdão
• 164 •

34 Alegria pela manhã
• 170 •

35 Quem disse que quem cala consente?
• 174 •

36 Volte para casa
• 180 •

37 Falta alguma coisa
• 184 •

38 Não existe vida perfeita
• 188 •

39 O sofrimento ensina
• 192 •

40 E se hoje fosse seu último dia?
• 196 •

Deive Leonardo

Porque há esperança para a árvore, pois, mesmo cortada, voltará a brotar, e não cessarão os seus rebentos. Se as suas raízes envelhecerem na terra, e o seu tronco morrer no chão, ao cheiro das águas brotará e dará ramos como a planta nova. (Jó 14.7-9)

Deive Leonardo é o evangelista mais influente na *internet* hoje, com milhões de seguidores em suas redes sociais. Casado há dez anos com Paulinha Leonardo, é pai de dois filhos: João e Noah. Deive cresceu em um lar cristão, mas, por alguns anos, esteve afastado dos caminhos de Jesus, retornando em 2009, após um encontro especial com Ele. Desde então, ele se envolveu no ministério de jovens de sua igreja local, foi radialista, e hoje prega para diversos públicos em várias plataformas, recebendo testemunhos diários de conversões e reconciliações com Deus por meio do Evangelho.

Com este devocional, Deive espera que todos os que acompanham as suas ministrações, e também quem o está conhecendo agora, deixem de encarar Deus como apenas Alguém para pedirem ajuda nas horas difíceis. Mas que cada uma dessas pessoas construa um relacionamento pessoal com Ele, que, inclusive, continue a se desenvolver mesmo depois que estas páginas terminarem.

Seja intencional em sua leitura

Existe uma diferença estrondosa entre um discípulo e um simpatizante de Cristo. Muitos pensam amar a Deus apenas por terem sido ensinados por seus pais, por frequentarem cultos aos domingos ou até mesmo por alegarem sentir isso. Mas a Bíblia é clara a respeito da distinção entre um e outro. A verdade é que, por mais chocante que possa parecer, pouco importa os sentimentos que afirmamos ter por Deus, se isso não vier acompanhado de atitudes reais. É a nossa resposta diária e fiel que comprova a veracidade do nosso amor. Em outras palavras, a medida do quanto, de fato, O amamos vem por meio dos frutos que apresentamos, da nossa obediência e da constância em nosso relacionamento com Ele.

É justamente aqui que a vida devocional surge como uma ponte para nos aproximar de Quem realmente importa. Viver segundo os padrões bíblicos e guiado pelo Espírito Santo são marcas de um cristão verdadeiro, que não encara as disciplinas espirituais como um evento ocasional ou algo reservado apenas a pastores e líderes. Afinal, é a oração, o jejum, a leitura e meditação da Escritura, e a vivência de todas as verdades bíblicas em nosso cotidiano que transformam a nossa natureza ruim em uma nova natureza, mais parecida com Cristo. E não há ser humano na Terra que não careça disso.

Andar com Deus requer persistência e muita intencionalidade, e apesar de nos custar tudo, também nos oferece tudo. Muitos pensam que o relacionamento com o Senhor exige horas infindáveis de comprometimento, e que bom para os que podem se envolver dessa forma. Mas o segredo está muito mais na constância, fidelidade e entrega genuína, ainda que seja aparentemente pouco, do que na grande quantidade de tempo, se este não vier acompanhado dos outros três. Por isso, não dê desculpas. Assuma a sua responsabilidade e, ao se engajar nesta leitura, lembre-se: o que você precisa não é de mais tempo, mas de intencionalidade.

Quem procura acha

01

*Leia: Mateus 25.1-13;
Lucas 11.9-10*

É impossível ser íntimo de alguém que você não conhece. Isso, porque a intimidade pressupõe relacionamento e, por consequência, vulnerabilidade, verdade, confiança e dedicação. Ela nunca é imposta, mas fruto de um investimento dos que desejam construir uma relação e conhecer o coração um do outro. Com Deus não é diferente. E nisso percebo o privilégio que é para o Homem ter acesso ao coração divino e poder experimentar um vislumbre da eternidade.

O problema é que, muitas vezes, encaramos o relacionamento com Ele como uma disciplina espiritual chata e maçante, porque não conseguimos entender que o Senhor não é um ser abstrato, distante e desenhado para caber em uma religião, mas uma pessoa que sente, fala, age, tem vontades e pensamentos, e se relaciona. Assim, em diversos momentos, a busca por essa intimidade acaba ficando em segundo, terceiro ou quarto plano.

Talvez uma das maiores batalhas na caminhada de muitos cristãos seja não perder o amor que os aproxima de Deus. O que eles se esquecem é de que o amor não tem a ver com um sentimento; é uma decisão. Não buscamos ao Senhor, permanecemos casados ou educamos nossos filhos apenas quando estamos de bom humor ou com disposição. Nós o fazemos porque temos uma aliança de amor, que independe de sentimentos. Não só isso, mas aquilo que decidimos amar ditará também as nossas prioridades, o que quer dizer que, se colocamos o cansaço, o trabalho, o cuidado da casa e quaisquer outras tarefas e compromissos na frente de nosso relacionamento com Deus, é porque, no fundo, infelizmente, não acreditamos que ele seja prioridade. Afinal, sempre arranjamos tempo para o que, de fato, é importante para nós.

Deus sempre está à nossa espera, desejando Se relacionar, revelar o Seu amor e nos transformar. Mas uma relação precisa da cooperação e interesse dos dois lados para funcionar. Isso me leva a pensar que, se o próprio Senhor deseja tanto esse relacionamento, significa que, quando ele esfria, a responsabilidade é nossa. A parábola das dez virgens, em Mateus 25, relata justamente isso. Nessa passagem, Jesus reforça a importância da busca por intimidade e constância no relacionamento com Deus enquanto esperamos a volta do nosso Noivo. Não importa o que aconteça, não podemos perdê-lO de vista. Não podemos permitir que o nosso azeite acabe. E se, hoje, você reconhece que ele está terminando, volte para buscar mais; se você está esfriando, coloque mais lenha no fogo, e tenha fé, porque uma coisa é certa: quem procura, acha.

Oração

    Deus, hoje, eu Lhe peço que abra os meus olhos e me ajude a entender a profundidade do Seu amor por mim. Senhor, eu me rendo aos Seus pés e reconheço que não sou nada sem a Sua presença. Pai querido, dê-me o presente de conhecê-lO profundamente e me ajude a perseverar até o fim em nosso relacionamento. Que a Sua vontade e presença sejam o meu alvo. Eu quero ser íntimo do Senhor. Esse é o meu anseio! Em nome de Jesus, amém!

Deus fala comigo?

02

Leia: 1 Samuel 1.1-20;
1 João 5.14;
Isaías 59.1

Existe muita gente que acredita que Deus não responde. Eu me lembro de como a minha perspectiva a respeito disso mudou quando minha mãe me mostrou um dos seus cadernos de oração. Há anos, ela preenche páginas e mais páginas com pedidos, louvores ao Senhor e agradecimentos pelas orações respondidas. Todas aquelas palavras eram realmente algo impressionante, mas nada me emocionou tanto quanto o dia em que ela me mostrou as páginas de março de 2009. Na época, eu estava longe de Jesus e, enquanto tudo isso acontecia, minha mãe nunca parou de orar por mim. Folhas inteiras repletas de orações, principalmente para que eu voltasse para os caminhos de Deus. E no dia 23 de abril de 2009, algo aconteceu: Deus respondeu. Tive um encontro profundo com Jesus, entreguei minha vida a Ele e decidi nunca mais deixá-lO. Minha mãe continuou me mostrando os meses seguintes de seu caderno. Respostas, respostas e mais respostas.

Muitas vezes, nós nos deixamos levar por sentimentos ou pela aparente falta de resultado instantâneo, porque: 1) acreditamos que Deus seja uma fada madrinha, portanto, obrigado a fazer o que queremos, quando queremos; e 2) porque não O conhecemos de verdade. A Palavra de Deus nos revela tudo o que precisamos saber sobre Ele. Não só o que pensa, o que pode fazer, mas também a respeito de Seu caráter. Ela é o nosso manual e o livro que contém as promessas, conselhos, feitos divinos e tudo o que necessitamos para ser transformados e viver plenamente o que o Senhor tem para nós enquanto estamos nesta Terra. O que acho curioso nisso tudo é que as mesmas pessoas que dizem que Deus não responde são aquelas que mantêm suas Bíblias fechadas e sua vida de oração infértil. Então, como esperamos que Ele fale algo, se não estamos atentos à Sua resposta?

Ana entendeu bem isso. Quando nos atentamos para a Bíblia, em 1 Samuel 1, vemos essa mulher tão angustiada, desesperada e aos prantos no templo, que o profeta pensou que se tratava de uma pessoa embriagada. Ana orava há anos por um filho, enquanto era zombada pela segunda esposa de seu marido. Anos e anos batalhando em oração, crendo no caráter de Deus, quando, **de repente**, a Escritura diz que o Senhor não só a ouviu, mas respondeu. Ana ficou grávida e deu à luz Samuel, um dos maiores profetas da história de Israel [além de atuar como sacerdote e algumas outras funções]. Nós servimos a um Deus que ouve e responde. Então, se a dúvida era essa, acabou.

O nosso grande problema é que, na hora do desespero, da angústia, da dor, preferimos procurar respostas em seres humanos em vez de dobrar nossos joelhos e abrir nossas Bíblias. É claro que podemos buscar a ajuda de pessoas sábias, experientes e mais maduras espiritualmente do que nós, mas isso não substitui a nossa responsabilidade nesse processo. Por isso, quer ouvir a Deus? Abra você a sua Bíblia. Ore você. Tome você a iniciativa de jejuar. Seja você perseverante. E, assim, veja o "de repente" de Deus acontecer.

Passos práticos

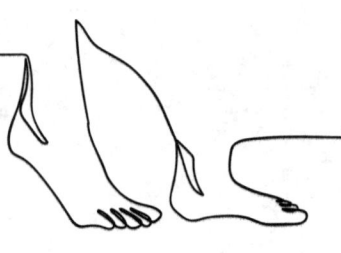

- Escolha um plano de leitura bíblica e adapte para a sua rotina.

- Identifique os ruídos que atrapalham a sua comunicação com Deus e escreva em um papel o que fará para mudar daqui para frente.

- Separe diariamente um tempo de devocional: ore, leia a Bíblia, adore, escute o que Deus estiver lhe falando e anote essas palavras.

Lembre-se:

1. O que importa é qualidade, e não quantidade;

2. Deus jamais lhe dirá algo que irá contra a Sua Palavra.

Tudo em seu devido Lugar

03

Leia: Mateus 14.13-14

"A vida não é um mar de rosas", já dizia a minha mãe quando eu era menino. Não é um mar de rosas para mim, nem para você, nem para o crente, para o desviado ou ateu. A vida é igualmente complicada, difícil, e também bonita para todos nós. Eu, por exemplo, amo a Jesus profundamente, dedico a minha vida e ministério a Ele, mas já passei por muitas dificuldades. Sofri um grave acidente de carro, tive familiares e amigos que morreram; eu e minha esposa perdemos uma gestação, já tivemos falta de dinheiro, e tantas outras coisas. Por quê? Porque amar a Cristo não significa imunidade aos problemas ou dores da vida. A diferença é que, quando andamos com Ele genuinamente e abrimos nosso coração de fato, temos a garantia de sermos transformados e curados nesse curto espaço de tempo que chamamos de vida. Assim, por meio dessa cura, podemos ser ponte para que outros sejam sarados também.

Por outro lado, não é de hoje que somos ensinados a ignorar nossas crises, passar por cima de nossas dores, a sufocar aquilo que deveria ser tratado e fingir que nada está acontecendo. A sociedade está doente. Obcecadas por mostrar uma aparente felicidade e uma falsa imagem de equilíbrio, bem-estar e perfeição, milhares de pessoas têm escondido sua depressão, amargura, falta de perdão, ansiedade, tristeza, fome por atenção e amor, inveja, ódio e mentira.

O interessante é que, quando olhamos para Jesus, somos confrontados pelo Seu exemplo. Cristo, mesmo sendo cem por cento Deus, era cem por cento homem enquanto esteve na Terra. Isso significa que Ele não ignorou Seus sentimentos nos momentos mais difíceis, mesmo com toda a pressão que sofria em Seu ministério. Em Mateus 14.13, a Bíblia nos diz que, após receber a notícia de que João Batista havia morrido, o Mestre entrou em um barco sozinho e navegou para um lugar deserto. Não sabemos o que aconteceu lá nem quanto tempo Ele permaneceu longe. Mas foi ao me deparar com essa atitude de Jesus que comecei a pensar sobre a fragilidade humana diante de uma notícia extremamente dolorosa, e a necessidade de tirarmos um tempo para nos resolver. Cristo, o Filho do Deus vivo, ao saber da morte de Seu primo e amigo, não continuou Sua missão imediatamente, não decidiu pregar para alguém, evangelizar, curar ou expulsar demônios. Diante daquele relato, Ele escolheu Se isolar para passar pelo luto, resolver aquela crise e colocar as coisas em seu devido lugar. Só que a Bíblia continua e nos diz que o Senhor não ficou para sempre em Seu isolamento. Quando voltou, uma multidão estava à Sua espera. Jesus, então, movido por íntima compaixão, não só curou todos os enfermos presentes, como também realizou um de Seus milagres mais notáveis: a multiplicação dos cinco pães e dois peixinhos.

Crises não foram feitas para serem alimentadas, administradas ou escondidas, mas para serem resolvidas. Do contrário, podem acabar nos destruindo. Não se iluda: as piores crises, pecados e problemas que enfrentamos, na maioria das vezes, começam pequenos. Mas, ao invés de tratarmos logo e arrancarmos o mal pela raiz, preferimos abafar, na esperança de que eles se solucionem sozinhos.

Posso lhe dar um conselho? Resolva-se. Pare de procrastinar, ignorar e jogar para debaixo do tapete o que você precisa solucionar. Decida, hoje, ir em direção Àquele que cura e O veja transformar seus cinco pães e dois peixinhos em alimento que nutrirá multidões.

Perguntas reflexivas

1. Você tem ignorado suas crises? Se sim, por quê?

2. Existem problemas em sua vida, hoje, que são reflexos de questões não resolvidas no passado? O que você pode fazer para mudar esse quadro?

3. O que o tem impedido de parar tudo e resolver essas questões?

Deus não tem memória curta

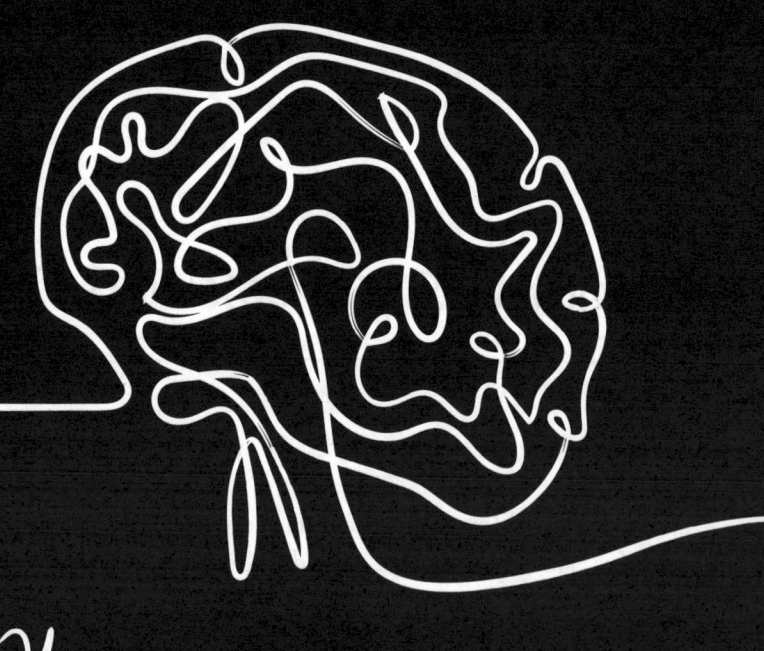

04

Leia: Isaías 49.14-15;
Lucas 11.11-13

Eu me lembro de quando, bem no início do meu ministério, recebi um convite para pregar em uma cidade do estado de Santa Catarina. Não tinha muito tempo que eu havia feito meu primeiro *site*, e estava muito empolgado com aquela agenda e com a nova vida para a qual Deus estava me chamando. A Paulinha, minha esposa, foi comigo. Viajamos onze horas de ônibus até o destino. Porém, para a nossa surpresa, ao chegarmos na rodoviária, exaustos, sem conhecer o local e sequer uma pessoa, percebemos que não havia absolutamente ninguém nos esperando. Nós tínhamos sido esquecidos. Sem querer acreditar naquela situação, começamos a criar ideias do que poderia ter ocorrido, afinal, quem quer admitir que foi esquecido? Então, dizíamos um ao outro: "Bom, talvez possa ter acontecido um acidente, né?! Que Deus tenha misericórdia! Será que o carro não pifou na estrada, ou eles chegaram e não estão nos reconhecendo?". As hipóteses continuaram, mas a realidade foi confirmada horas mais tarde: de fato, não se lembraram de nossa chegada. E essa não foi a última vez que isso aconteceu ao longo de nosso ministério.

A verdade é que ninguém gosta ou espera ser esquecido. Mas o que é o esquecimento senão uma limitação de nossa memória? O ser humano é falho e, por esse motivo, limitado. Deus, no entanto, não é assim. Isaías 49 diz que, ainda que uma mãe não se lembre do seu próprio filho, o Senhor não nos esquece. Nessa passagem, Deus estava afirmando que, mesmo uma das formas mais genuínas de amor que o ser humano conhece, que é o amor de uma mãe, pode falhar, mas a d'Ele não. O Seu amor é perfeito.

Deus jamais Se esquece. Nem de você, nem de mim, nem das promessas que nos fez. Quando eu tinha seis anos de idade, recebi uma das primeiras palavras proféticas sobre o meu futuro. Eu era muito pequeno, mas nunca saiu da minha memória aquela pastora que esteve em nossa cidade e pregou para as crianças da minha igreja local. Naquele dia, ela mencionou muitas coisas da parte de Deus, mas me lembro bem do momento em que ela profetizou que Ele me levantaria como uma voz sobre a minha nação. Essa palavra levou mais de doze anos para se cumprir. Eu havia crescido, entrado na universidade, me desviado dos caminhos do Senhor, voltado para Ele, trabalhado em diversos lugares, namorado e casado com a Paulinha, e aquela profecia, assim como muitas outras que eu tinha recebido, ainda não havia se realizado. Todo esse tempo se passou até Ele me chamar para o ministério em tempo integral, e até hoje eu estou vendo, dia após dia, as Suas promessas se cumprindo em minha história. Deus não tinha Se esquecido. Ele não descuidou de nenhuma palavra que liberou sobre mim, porém, em muitos momentos, eu é que me esqueci delas, e até mesmo do Senhor. E é exatamente esse o problema: nós nos esquecemos de Deus centenas de vezes e, por isso, somos tentados a pensar que Ele faria o mesmo. Mas o Senhor não é como nós. Ainda que tenhamos perdido de vista certas promessas e enterrado determinados sonhos, o nosso Pai celestial permanece fiel às Suas palavras. Então, não esqueça, pois Ele não Se esquece.

Oração

    Pai, reconheço o quanto sou falho e, muitas vezes, incapaz de me lembrar das Suas promessas, grandeza e amor. Eu negligencio pessoas, sonhos, profecias, enquanto o Senhor permanece fiel a todo momento. Por favor, me ensine a confiar na Sua fidelidade. Hoje, de uma vez por todas, me faça compreender que sou amado e que nunca serei esquecido. Em nome de Jesus, amém!

Consciência pesada

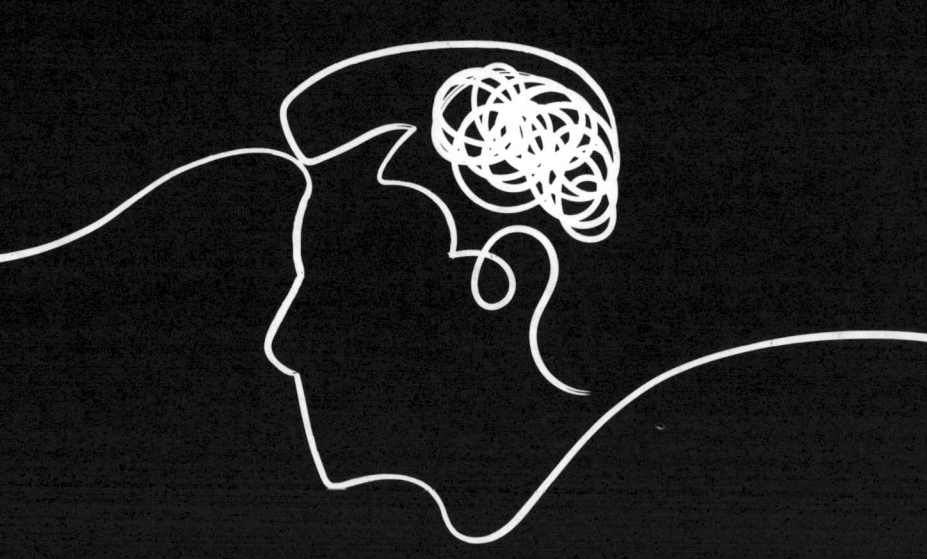

05

*Leia: João 8.1-11;
Gênesis 3;
Romanos 2.12-16*

Pouca gente sabe, mas a primeira crise de consciência da História está registrada na Bíblia. O livro de Gênesis narra o caso de Adão e Eva que, após a Queda, tiveram um enorme remorso ao desobedecerem a Deus e comerem o fruto do conhecimento do bem e do mal (cf. Gênesis 3). Naquele momento, eles perderam sua inocência e se deram conta de sua nudez. A vergonha e culpa os fizeram correr da presença de Deus, procurar folhas para se vestir, e se esconder d'Ele. Esse é um exemplo claro do que o pecado, misturado à culpa e remorso, pode fazer conosco: afastar-nos de Quem mais poderia nos ajudar.

A Bíblia nos conta também a respeito de um episódio muito conhecido nos evangelhos em que algumas pessoas levaram a Jesus uma mulher pega no ato do adultério. Após uma série de acusações, e a fala do Mestre [quem não tem pecados, que atire a primeira pedra], temos uma particularidade do que aconteceu em seguida: "E eles ouvindo isto, sendo **condenados por sua própria consciência**, saíram um a um, começando no mais velho, até o último [...]" (João 8.9 – BKJ – grifo do autor).

Isso era a consciência deles dizendo que também eram pecadores e que não poderiam atirar a pedra. Assim, quando perceberam que não tinham como continuar julgando aquela mulher, a culpa, somada às suas consciências, os obrigaram a se afastar de Jesus. O curioso nisso tudo é que Cristo, em nenhum momento, disse que não apedrejaria a mulher, e talvez tenha sido esse o motivo implícito que os tenha feito pensar que havia mais pessoas ali que merecessem a mesma pena.

Por outro lado, isso poderia ter terminado bem diferente se essas pessoas em vez de terem sido movidas por suas consciências pesadas, tivessem dado ouvidos ao Espírito Santo. Ele é diferente da culpa e vergonha que sentimos. Isso, porque apenas saber que erramos, não muda nada. Só o Espírito Santo é capaz de nos confrontar com a verdade, levar-nos ao arrependimento genuíno e transformar o nosso coração. A culpa e as crises em nossa consciência decorrentes da vergonha não conseguem fazer isso.

Infelizmente, vivemos o tempo do "peso na consciência" sem arrependimento. As pessoas se sentem culpadas e condenadas, mas nunca se permitiram aproximar de Deus para receberem alívio, perdão e amor. Deus não está pronto para nos escorraçar e castigar; Ele é bom. Mas muitos não sabem disso, porque não O conhecem de verdade, escolhendo se basear no que outros contaram a Seu respeito. Até hoje, milhares estão distantes de Jesus, porque a vergonha e o remorso os levaram para tão longe que não se acharam dignos de encontrar o caminho de volta. Incontáveis homens e mulheres estão subjugados pela culpa, porque o peso do pecado lhes diz que estão errados e que não há mais solução.

O Espírito Santo, contudo, nunca nos traz peso, culpa ou condenação. Ele nos diz, sim, a verdade, mas sempre com amor e com o intuito de nos libertar (cf. João 8.32). Inclusive, se aquelas pessoas na história da mulher adúltera tivessem dado ouvidos a Cristo — que era guiado pelo Espírito Santo — e se arrependido, com toda certeza, aquela história poderia ter terminado bem diferente. A adúltera não estaria mais sozinha no meio da multidão, e sim acompanhada por ela. E, por fim, todos ali escutariam o que somente ela pôde ouvir: "Também eu não a condeno".

Jesus não nos condena, Ele veio para nos libertar e defender. Ele é o nosso advogado; um advogado tão bom que não só garante a solução dos casos, mas morreu pelo perdão de todos os Seus clientes.

Passos práticos

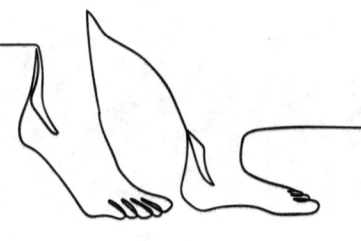

- Analise se você não está preso pelo peso de consciência. Se sim, clame ao Espírito Santo, o Único que pode dirigir nossos passos na direção correta e nos levar à verdade e ao arrependimento.

- Ore ao Senhor, pedindo para que Ele mostre as áreas da sua vida que precisam ser destravadas pelo Seu perdão.

- Repense suas atitudes precipitadas. Talvez seja o momento de voltar a falar com alguém que você machucou, retornar à igreja da qual se distanciou e reatar as relações familiares que foram rompidas pelo remorso e a culpa.

Aquilo que decidimos

as nossas prioridades.

amar ditará também

Quando a casa cai

06

Leia: Salmos 46.1-5;
Mateus 7.24-27

Qualquer um pode lhe negar o socorro, mas Deus não o fará. É por isso que tantas pessoas se agarram à fé quando o pior dia de suas histórias dá as caras. Não é incomum ouvirmos sobre alguém desacreditado por todos, que, de repente, mudou completamente e passou a viver coisas extraordinárias com Jesus. Por outro lado, muitos continuam vivendo como bem entendem, e tratando a Deus apenas como mais um amuleto da sorte. Então, quando as coisas começam a ir mal, correm para Ele em busca de um milagre.

Isso me lembra muito da passagem de Mateus 7, a partir do verso 24. As Escrituras nos contam a história de duas pessoas: um tolo e um sábio. O primeiro, com uma visão limitada e insensata, decidiu construir sua casa sobre a areia, onde, aparentemente, poderia ter a melhor vista para o mar, ser de mais fácil acesso e construção e, por isso, mais conveniente. Entretanto, logo veio a chuva forte, e sua residência, como era de se esperar, não resistiu. Já o segundo não agiu precipitadamente, e escolheu o melhor lugar para firmar a fundação de sua casa: a rocha. Apesar do trabalho duro que provavelmente teve para subir os materiais ao alto da grande pedra e edificar sua morada, aquele homem sábio tinha a garantia de que nem os maiores vendavais e tempestades poderiam afetá-la, afinal, sua base era sólida. Um deles estava preocupado apenas com um abrigo para protegê-lo da tempestade, enquanto o outro enxergou a necessidade de edificar uma habitação segura e permanente.

Deus é a rocha firme e inabalável na qual encontramos segurança, amor, provisão, alegria e tudo mais que precisamos. Contudo, muitos O enxergam apenas como um escape para a dor ou dificuldade momentânea e, no instante em que recebem o alívio que precisam e chega a hora de se comprometerem seriamente com Ele, desistem. Acontece que, quando decidimos viver para satisfazer a nós mesmos, somos inundados por uma falsa sensação de que está tudo bem, de que conseguimos sozinhos e de que a vida é melhor quando estamos no controle; é por isso que está cheio de gente pensando que não há problema nenhum em estar longe de Jesus.

Em contrapartida, todos os dias, eu recebo inúmeras mensagens de pessoas buscando ajuda para casamentos destruídos, abandono, traumas; gente desesperada, sem vontade de viver e sem saber como resolver questões sérias em suas vidas. E, constantemente, eu aponto a solução: "Cristo! Corra para Cristo! Jesus pode salvar você; Ele pode restaurar sua história, mudar sua vida por completo e saciar o seu interior!". Mas a decisão de construir sua vida sobre a rocha ou a areia é sua. Eu não posso escolher por você, nem pelos meus amigos, parentes, e até mesmo pelos meus filhos.

Essa é uma decisão individual; mas, se optar por isso, não seja covarde, não volte atrás. Faça um compromisso sério e escolha ser fiel Àquele que o salvou, que o ama, cura, transforma; Àquele que lhe dá uma família, um nome, um lar e um propósito. Não espere dar tudo errado, decida andar com Deus agora e para sempre. Ninguém sabe o que vai acontecer amanhã, mas uma escolha feita hoje [e mantida com fidelidade] pode mudar o futuro. Portanto, seja lá qual for a sua decisão, lembre-se: a vida eterna começa aqui e agora.

Perguntas reflexivas

1. Qual tem sido sua primeira opção quando tudo dá errado?

2. Quem é o Senhor para você: apenas um amuleto da sorte ou a sua fortaleza?

3. Existe algo que o tem impedido de viver plenamente com Deus? Se sim, o quê? O que você pode fazer, de maneira prática, para mudar isso hoje?

O tempo não cura

07

*Leia: Jeremias 30.12-17;
Êxodo 15.25-26;
2 Coríntios 5.17*

Não há um ser humano no mundo que não sofra. A dor faz parte da vida. O nosso erro é nos apegarmos a ela e permitirmos que todas as nossas feridas permaneçam abertas em vez de serem tratadas. Parece estranho alguém não querer se curar, mas é isso o que, claramente, vemos em nossa sociedade hoje: uma geração emocionalmente ferida e que já poderia ter sido curada, mas escolhe permanecer ressentida, reter o perdão, carregar tristeza, culpa, inveja, rejeição, e que acaba preferindo celebrar as mágoas e a dor do que sarar. Gente machucada consegue chorar com a mesma intensidade o sofrimento de ontem, de antes de ontem, do mês passado, do ano retrasado, porque não permitiu a cicatrização. Então, acabam se tornando amargas em todos os âmbitos de suas vidas, muitas vezes até sem perceber. Talvez, você esteja lendo isso e essa pessoa seja você; porque é você quem não perdoa, que não cicatriza, que não consegue liberar as pessoas e situações de uma vez por todas, que não dorme há dias, meses, ou anos tentando fingir que está tudo bem quando não está.

E sabe o que é pior? Grande parte dos que se encontram nesse estado conhecem a Palavra de Deus, e sabem que, em Cristo, existe azeite para curar, vinho de alegria, água para matar a sede, mas, mesmo assim, continuam morrendo na seca, afogados pela tristeza, convivendo com doenças e feridas abertas que poderiam ter sido curadas há muito tempo.

Ignorar não vai adiantar nada, porque, ao contrário do que dizem, o tempo não pode curar. Em contrapartida, temos acesso ao remédio mais eficaz e poderoso do mundo: o sangue de Jesus. Ele tem autoridade e poder para nos lavar, libertar e transformar. Deus tem coisas novas para nós. Um futuro lindo e brilhante pela frente, mas, para isso, precisamos deixar as coisas velhas irem embora. Deixe ir. Jogue no mar do esquecimento. Chega de carregar dores do passado, de cutucar feridas e impedir a cicatrização dos machucados. Entregue o seu coração e todas as suas dores para Jesus. Não importa o quão difícil, complexa ou simples elas possam parecer. Peça por Sua ajuda e permita que o sangue de Cristo, poderoso para cicatrizar toda ferida, passe, limpe, desinfete e tire a podridão. Em seguida, deixe o Espírito Santo cobrir suas antigas feridas com as Suas "ataduras", para que nenhuma sujeira, bactéria, ou outro doente nos fira mais uma vez.

Daqui a algum tempo, quando tudo estiver cicatrizado, devemos deixá-lO remover os curativos. Sim, a marca permanecerá ali, a lembrança do que aconteceu talvez não possa ser apagada, porém, sem sombra de dúvidas, aquela não será mais uma fonte de dor. Aliás, no lugar das cicatrizes crescerá uma pele bem mais resistente, protegendo-nos de sermos machucados novamente. Não só isso, mas quando somos tratados por Deus e Lhe damos espaço para transformar nossa dor, ficamos mais fortes e podemos ser ferramentas para curar outros também. A cura está acessível, e para alcançá-la tudo o que você precisa é dizer "sim".

Passos práticos

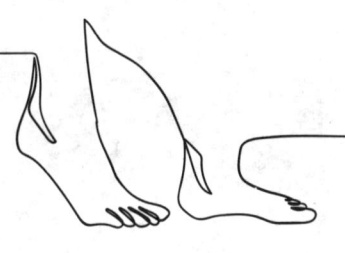

- Identifique as suas feridas abertas.

- Clame pelo sangue de Jesus, que sara qualquer impureza e nos limpa verdadeiramente.

- Abrace o processo de cura, depositando sua confiança no Espírito Santo e contando com pessoas maduras que caminharão contigo nesse tempo.

- Seja um testemunho vivo, mostrando aos outros que o milagre está disponível e é possível.

Quebre o ciclo

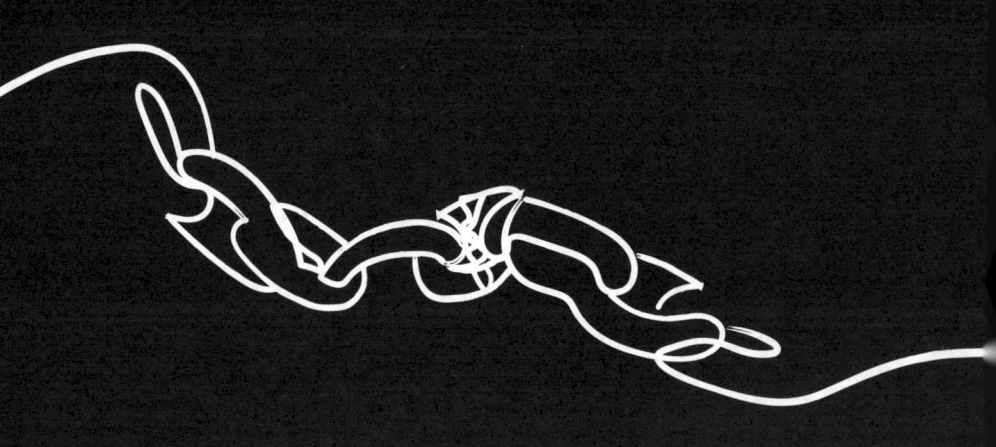

08

Leia: Josué 24.15;
Filipenses 3.13-14;
Lucas 9.61-62

O passado é uma prisão sutil e silenciosa. Ele se infiltra de maneira sorrateira em nossas vidas e, quando nos damos conta, já estamos totalmente envolvidos. É por conta disso que é tão importante analisarmos as bases da nossa vida. Infelizmente, muitos enraízam suas histórias em modelos fracassados, porque foi isso que aprenderam quando crianças. Casam-se já pensando em se divorciar, vão à igreja esperando o primeiro tropeço da liderança, vivem em santidade até terem a primeira oportunidade de perder a virgindade, e servem a Deus enquanto está tudo bem e não precisam ir tão fundo ou renunciar suas vontades por amor a Ele.

Isso acontece, em grande parte, porque os bons exemplos estão cada vez mais raros. São tantas tragédias, traições, desistências, violência, falta de fé e fruto do Espírito que vemos ao nosso redor, que acabamos pensando que nossa existência está fadada a seguir pelo mesmo caminho. Dessa forma, acabamos permitindo que nossa vida fique presa ao passado de nossos pais, tios, avós, amigos, e acreditamos que o mesmo acontecerá conosco também.

Entretanto, por mais difícil que possa ser, às vezes, a responsabilidade é nossa. Todos temos uma escolha. O nosso meio pode até nos influenciar se permitirmos, mas ele, definitivamente, não pode determinar nosso futuro. Somos frutos de nossas decisões, e não do que acontece em nosso ambiente.

A Bíblia mostra isso, na prática, através da história de libertação do povo de Israel da opressão egípcia. Josué, uma das figuras mais importantes desse período, dá um ultimato ao povo, que muito nos ensina hoje:

> Mas, se vocês não quiserem servir o Senhor, escolham hoje a quem vão servir: se os deuses a quem os pais de vocês serviram do outro lado do Eufrates ou os deuses dos amorreus em cuja terra vocês estão morando. **Eu e a minha casa serviremos o Senhor.** (Josué 24.15 – grifo do autor)

Já no fim de sua carreira, após anos e anos resolvendo os problemas do povo e seguindo as orientações do Senhor, Josué faz um questionamento final aos israelitas: "Vocês servirão aos deuses dos seus antepassados, às divindades dos seus vizinhos amorreus, ou ao Deus que os livrou do cativeiro e os guardou durante os quarenta anos no deserto?". Em outras palavras, Josué questionou se eles ficariam presos aos erros do passado ou abraçariam o destino prometido pelo Senhor, que permaneceu fiel àquelas pessoas mesmo nos seus momentos de maior rebeldia.

Havia um modelo fixado no coração deles, um ciclo vicioso, fruto do comportamento de seus pais. No entanto, a partir daquela geração, Deus desejava fazer algo novo, que caberia a eles escolherem. Igualmente, muitos insistem na edificação de suas casas sobre bases frágeis, herdadas pelas escolhas erradas de outros ou pela influência negativa do seu meio. É possível estar no lugar certo, designado por Deus para crescermos, mas cairmos no erro de nos espelharmos nos maus exemplos do passado.

Mesmo assim, não podemos nos esquecer: tudo é uma questão de escolha. Existe algo novo e fresco do Céu para a sua vida; há uma chance de fazer diferente do que você já viveu ou assistiu; é necessário apenas ter coragem para assumir as responsabilidades, crer no que Deus está dizendo, abrir-se para que Ele o transforme, e se desvencilhar do passado. Podemos, sim, escolher não reproduzir os resultados do ambiente onde fomos criados, mas para isso precisamos colocar pontos-finais nas histórias desastrosas e mentiras a respeito de nós e nosso futuro. Só assim, com Deus, daremos início a futuros grandiosos.

Desafio

Observe as escolhas que você tem feito nos últimos tempos e identifique se, de alguma forma, encontra-se preso ao passado. Seja por conta das suas atitudes para com as pessoas que você convive, comportamentos tóxicos, pecados escondidos, mágoas ou ciclos de miséria, mentira ou idolatria. Não deixe nada passar. Anote em algum lugar e tente estabelecer um *ranking* do nível de dificuldade desses problemas e o que pode ser feito gradativamente para que eles se revolvam. Comece com as coisas mais simples, como um pedido de desculpas ou certas declarações de libertação através da Bíblia, e depois tome medidas mais drásticas, como o abandono de certos círculos de amizades, relacionamentos e atitudes.

Isso não combina comigo

09

Leia: Lucas 1.26-38

Por mais criativos e visionários que sejamos, a tendência da maioria das pessoas é sempre vislumbrar uma realidade próxima à sua. Eu me lembro de quando era pequeno e toda vez que me perguntavam o que queria ser quando crescesse, eu dizia que gostaria de trabalhar em uma empresa de fundição muito famosa em minha cidade. O que me fez sonhar com o trabalho naquela companhia eram os homens que perambulavam pela cidade vestindo um macacão azul, que eu achava simplesmente incrível. Pode parecer bobo, mas, naquela época, a minha aspiração estava limitada àquilo que eu conhecia e podia ver.

Conforme fui crescendo e amadurecendo, as respostas foram mudando. Eu quis ser bombeiro, piloto de avião, advogado e a lista continuou ao mesmo passo que as mudanças aconteciam. Hoje, vivo algo que nunca tinha sonhado. E quando penso nisso, percebo o quanto a realidade divina é completamente diferente da nossa. É por isso que quando Deus nos apresenta os Seus planos e propósitos para a nossa vida, a primeira reação é constatarmos o quão incompatível eles são conosco. "Não! Não pode ser! Isso não combina comigo; é totalmente incompatível".

Contudo, acho muito interessante a atitude de Maria diante da notícia que daria luz ao Messias, em Lucas 1. Sempre me impressiono ao ler essa passagem. Quando o anjo Gabriel entrou na casa daquela menina, aos olhos da sociedade daquela época, ela era como outra qualquer: inexperiente, solteira, jovem, desprezada, virgem, comum e com tantas outras aparentes desaprovações e falta de capacitação. Porém, a Bíblia nos conta que o que era ordinário para o mundo foi transformado em uma realidade extraordinária e sobrenatural. Depois da visita daquele anjo, a vida de Maria jamais foi a mesma, e apesar de seu claro espanto e perturbação com aquela notícia, ela simplesmente respondeu: "[...] Sou serva do Senhor; que aconteça comigo conforme a tua palavra [...]" (Lucas 1.38 – NVI).

Aquela nova realidade divina era completamente incompatível com a que Maria vivia. Ela não combinava com a vida que aquela menina tinha. Os planos e propósitos de Deus para nós nunca caberão em nossa lógica ou se limitarão à nossa capacidade. É por isso que precisamos d'Ele para cumprir o que Ele tem para nós. Entretanto, por melhor, maior e mais lindo que sejam esses propósitos, tudo depende da forma como responderemos a Deus quando Ele nos apresentar a Sua realidade. Podemos, obviamente, lamentar as nossas falhas e falta de capacitação para realizar o que Ele nos propôs, ou podemos ser como Maria, que mesmo diante de tantas limitações pessoais e externas, confiou que Aquele que a chamava também a prepararia para o chamado.

O Senhor sempre projetará para nós algo que não combina conosco. E que bom, porque se fosse assim, seria fraco, finito, incapaz, pequeno, e teria uma lista infinita de problemas. Tudo aquilo que Deus planeja para nós, na verdade, combina com Ele. E é por isso que, perante os Seus planos, sempre nos sentiremos insuficientes, inadequados, incompatíveis. Mas não tem problema, porque: "[...] para Deus não há nada impossível" (Lucas 1.37), e é só isso que precisamos saber.

Oração

Pai, eu agradeço por ter me escolhido para viver grandes e surpreendentes aventuras com o Senhor! Peço que me ensine a ser obediente e confiar em Você, mesmo que eu não entenda ou veja. Por favor, faça-me enxergar a Sua realidade, e não aquilo que eu posso ver ou me é familiar. Quero sonhar e viver coisas extraordinárias com o Senhor! Que o meu posicionamento seja estar sempre pronto para me submeter e depender da Sua força. Em nome de Jesus, amém!

Não enterre seus sonhos

10

Leia: Isaías 40.28-31;
Provérbios 16.3

Uma das coisas que mais mantêm o ser humano vivo são os seus sonhos. Seja constituir uma família saudável, transformar a Política, criar uma empresa, revolucionar a Moda ou as Artes, estabelecer justiça, ajudar pessoas carentes, escrever um livro, adotar ou qualquer outra coisa. Não importa a dimensão ou complexidade, os sonhos nos movem. Isso acontece, inclusive, porque muitos deles estão alinhados com o propósito de Deus para as nossas vidas.

Contudo, os sonhos não podem ser a balança da nossa felicidade. A vida é complexa e envolve variáveis que não podemos prever, e se escolhermos olhar apenas para o que desejamos e ainda não temos, seremos sempre infelizes. O segredo é estarmos o tempo todo contentes com o que temos, mas sem deixar de buscar os sonhos de Deus e aquilo que queremos conquistar. Por outro lado, é bem verdade que, nesse processo, muitos acabam enterrando ou esquecendo por completo seus sonhos diante de temporadas difíceis, períodos de espera, ou por falta de fé em Deus e em si mesmos.

Eu me lembro de uma vez em que eu e minha mãe estávamos passando na frente de um cemitério, e ela me disse:

"Filho, este é o lugar onde há o maior número de sonhos enterrados". Eu nunca mais me esqueci daquilo. Quantos pintores nunca fizeram um quadro por terem se formado em Direto? Quantos médicos jamais trataram pacientes por terem desistido depois de anos sem passar no vestibular? Quantos livros deixaram de ser escritos? Quantos cientistas, pais, filhos e seres humanos soterraram seus sonhos por não acreditarem ou se cansarem no meio do caminho? Todos nos cansamos. Todos ficamos saturados, impacientes e até mesmo desanimados em alguns momentos. Mas é o que fazemos com isso que conta. Sempre poderemos escolher continuar ou desistir.

O problema é que quando paramos de sonhar, inevitavelmente, acabamos perdendo nosso senso de propósito — aquilo que nos motiva a sair da cama todas as manhãs e lutar por nossos objetivos —; e não seria isso quase como estar morto? Confiar em Deus e crer que Ele está no controle de tudo é o primeiro passo para permanecermos firmes quando as dificuldades chegarem. Isso, porque não confiaremos no nada; existe certeza e garantia. Se temos uma palavra e direcionamento de Deus, apostamos seguro, porque por mais que demore e custe um preço alto, temos a convicção de que o próprio Deus lutará em nosso favor. O nosso papel é crer e assumir aquilo que está sob nosso controle e responsabilidade.

Não perca seus sonhos de vista. Não permita que a desistência, medo ou cansaço o façam abandonar tudo. Quando estiver complicado, lembre-se:

> Será que você não sabe, nem ouviu que o eterno Deus, o Senhor, o Criador dos confins da terra, nem se cansa, nem se fatiga? A sabedoria dele é insondável. **Ele fortalece o cansado e multiplica as forças ao que não tem nenhum vigor. Os jovens se cansam**

e se fatigam, e os moços, de exaustos, caem, mas os que esperam no Senhor renovam as suas forças, sobem com asas como águias, correm e não se cansam, caminham e não se fatigam. (Isaías 40.28-31– grifo do autor)

Esperar. Permanecer. São essas as características do que tem suas forças renovadas por Deus. Portanto, hoje, é isso o que eu desejo a você. Mais do que seus sonhos concretizados, mais do que tudo o que você sempre quis, eu lhe desejo perseverança e força para esperar o tempo correto do Senhor, afinal só assim você poderá subir e voar como águia.

Passos práticos

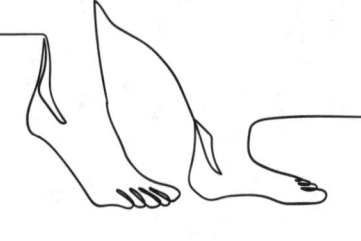

- Liste todos os seus sonhos e projetos a curto, médio e longo prazo.

- Verifique se há algum que foi esquecido com o tempo. Se sim, coloque em sua lista também.

- Ore ao Senhor pedindo estratégias para colocá-los em prática.

Como esperamos

se não estamos

resposta?

que Ele fale algo,

atentos à Sua

Prazer, o meu nome é Amor

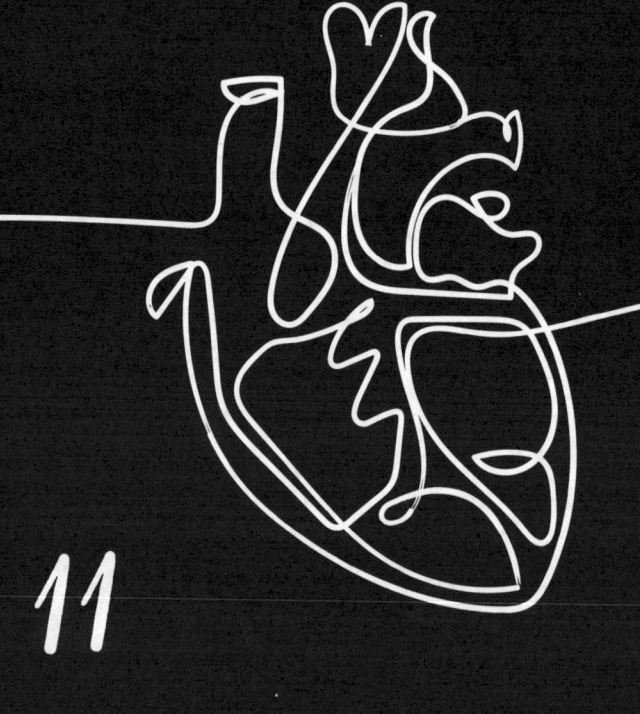

11

Leia: Romanos 12.15;
1 Coríntios 13;
Isaías 53.4-5

Acho que uma das coisas mais difíceis é se colocar no lugar do outro de verdade. Não apenas fazer uma média e fingir que se importa, não somente dizer que entende, mas, de fato, compadecer-se por quem sofre. Geralmente, somos profissionais em decretar, analisar e julgar a vida de todo mundo. Temos uma enorme facilidade de dizer: "Ah, fulano não presta"; "Não vou com a cara de sicrano"; "Aquela mulher sempre faz tal coisa errada"; "Beltrano só critica e destila ódio [...]"; "Você viu como fulano é grosso e mal-humorado?", pois não temos empatia e, no fundo, não achamos que valha a pena ter. É bem verdade que, muitas vezes, somos feridos por essas pessoas; o problema é não termos a sensibilidade para compreender que, por trás da dor, da ofensa, da grosseria e brutalidade, existe um ser humano que sofre.

Eu não sei você, mas eu já fui provado em várias áreas da minha vida. Já sofri muito, me frustrei, senti raiva, fui injustiçado, perseguido e decepcionado por pessoas muito feridas. Mas, no momento em que tudo aconteceu, eu não tinha percebido o tamanho dos machucados que elas carregavam. Eu me lembro que, quando comecei no ministério, por um bom tempo, me ofendi muito com comentários na *internet*; palavras, julgamentos e decretos sobre minha vida e chamado que me feriram profundamente, até o dia em que compreendi uma coisa: ninguém que é curado ataca outras pessoas. Apenas quem está machucado, na defensiva, fere os outros.

De longe, podemos ver indivíduos insensíveis, raivosos e maus, mas, ao chegarmos mais perto, encontramos seres humanos com traumas, feridas e histórias difíceis. Ninguém se torna um carrasco, um *hater*, alguém amargo e que não sorri vivendo uma vida de contos de fada. Provavelmente, muito provavelmente mesmo, essa pessoa está ferida. Diante disso, temos duas opções: ou ferimos também e perpetuamos o ciclo de violência e dor, ou nos tornamos a ferramenta de cura que ela precisa.

E quem melhor para nos ensinar a ser assim do que Jesus? Ele foi desprezado, injustiçado, humilhado, ofendido, surrado, julgado, culpado, maltratado e moído por nossos pecados, mesmo sendo inocente. Ele poderia ter Se vingado e feito justiça com Suas próprias mãos, mas não o fez. Jesus Cristo, o Filho de Deus, deixou a Sua glória, tornou-Se homem e nos ensinou que o amor é uma decisão diária de renúncia e entrega. A cada atitude, escolhemos ou não amar. Sim, simples e prático assim.

Pare de romantizar e colocar tantas expectativas em situações e pessoas. Pare de agir pelo que você sente ou não, e decida, hoje, amar os outros de verdade como Jesus amou você. Cada um tem a sua história, a sua velocidade, o seu tempo e sua particularidade; e na mesma medida em que você terá de amar, ter paciência e relevar a ofensa, outros também farão o mesmo com você, afinal você também errará [e muito] com as pessoas. Portanto, todas as vezes em que pensar ser difícil enxergar as pessoas além da ofensa e ataque, lembre-se de que Jesus tinha todos os motivos para não perdoá-lo e amá-lo e, mesmo assim, Ele decidiu fazer isso. Seja um imitador de Cristo.

Perguntas reflexivas

1. Como você tem enxergado a dor do outro?

2. Você já foi afetado por críticas ou julgamentos sobre sua história, suas dúvidas e dores?

3. Se sim, isso tem gerado reflexos no seu comportamento para com os outros?

4. O que você pode mudar em sua mentalidade e estilo de vida para não permitir que as ofensas o derrubem, e para ter compaixão dos que o perseguem?

O que é preciso para ser feliz?

12

Leia: Filipenses 4.11-20;
Salmos 128

Felicidade. O que não fazem por ela ou em seu nome? Nunca entendi muito o porquê, mas, no geral, sempre existiu uma tendência equivocada de atrelar a felicidade com as conquistas do trabalho. A questão é que, se acreditamos que exista um custo para ela, o tempo todo, o nosso coração estará obstinado a perseguir o que é preciso para ser feliz.

É em razão disso que tantas pessoas não param de trabalhar. Então, esse se torna o fator decisivo para a felicidade, e a equação passa a ser a seguinte: se nos esforçarmos muito, se lutarmos bastante, em algum momento, pararemos de trabalhar, e seremos apenas felizes. O ser humano "médio" pensa assim. Ele trabalha a vida toda para que, um dia, possa ser feliz. E mesmo os que não têm esse tipo de comportamento, acabam, infelizmente, pensando dessa forma.

Veja, não faz muito tempo, perguntaram-me se eu era rico e se tinha muita gente que trabalhava na minha casa. Eu sabia muito bem o que aquelas pessoas queriam descobrir. Elas não estavam apenas curiosas sobre a minha vida, mas desejavam saber se eu era muito ou pouco feliz. Mas, acredite, essa é a conta mais burra que alguém pode fazer. Porque a felicidade não cabe na calculadora. E se entrarmos numa corrida com essa intenção, ela nunca terá fim. Confesso que, depois dessas perguntas, fiquei muito pensativo; e, sinceramente, descobri que sou multibilionário. Fiquei rico aos 16 anos, porque encontrei a mulher da minha vida. Eu me tornei milionário aos 19, pois me entreguei totalmente para Cristo, e essa, de longe, foi a melhor decisão que já tomei. Aos 21, fiquei multimilionário ao me casar com a minha namorada dos 16 anos. Quando fiz 27, eu cheguei ao primeiro bilhão com o nascimento do meu primeiro filho. Aos 29 anos, tornei-me multibilionário ao ter meu segundo filho.

É simples: você não precisa se matar correndo atrás de nada, tudo o que você necessita para ser feliz já é seu. Isso quer dizer que a felicidade não é o que conquistaremos, mas aquilo que já temos. É claro que não estou fazendo apologia à pobreza ou um discurso hipócrita para convencê-lo de que conquistar bens, conforto, ter estabilidade e dar o melhor à sua família, amigos e até a você mesmo é errado ou supérfluo. Essas coisas são importantes, sim, e nós devemos lutar por elas, mas isso não pode ser a raiz da nossa felicidade. Não pode ser o fator decisivo para sermos felizes ou não. Enquanto há muitos procurando razões para se alegrarem, olhe para dentro da sua casa, por exemplo, porque aí, tenho certeza, existe pelo menos um motivo para agradecer ao Senhor. Você tem saúde. Quanto vale a sua saúde? Você tem comida na despensa. Quanto vale ter e poder escolher o que comer? Você tem um chuveiro com água quente. Quanto acha que isso vale? Você frequentou à escola e sabe ler. Você tem pessoas que o amam por perto, nem que seja uma. Você está vivo. Você é amado, perdoado, salvo e transformado por um Deus bom. Quanto isso vale? Espero que muito.

Sim, nem sempre temos o que gostaríamos, mas a felicidade não chegará quando isso for seu. Pelo contrário. Você vai reparar que, quando tiver o que sempre desejou, descobrirá outra coisa que queria mais; e o ciclo não tem fim. A felicidade verdadeira é entender que existe satisfação com o que você já tem. É poder enxergar a bondade e provisão de Deus hoje. Portanto, não se engane: felicidade não custa nada, até porque, nem o preço para ser feliz foi a gente que pagou, mas Jesus Cristo na cruz do Calvário.

Oração

Jesus, muito obrigado por tudo o que sou e tenho. Obrigado, principalmente, pelo que o Senhor é para mim e faz por mim. Eu O amo tanto. Reconheço, hoje, que já tenho tudo o que preciso para ser feliz, e agradeço por cada uma dessas coisas. Deus, me ensine a ser satisfeito no Senhor em todas as circunstâncias. Em nome de Jesus, amém.

Ontem, hoje e para sempre

13

Leia: 2 Tessalonicenses 3.5;
Provérbios 28.14;
Hebreus 13.8

Constância. Eis aí algo que todo ser humano busca, se não em todas, pelo menos em alguma área de sua vida. Uma pessoa constante é alguém que não se altera diante das circunstâncias; é aquele que escolhe permanecer fiel, perseverante, inalterável em seus hábitos, relacionamentos e quaisquer outras coisas que o envolvam. Mas a constância, assim como quase tudo na vida, não vem sem esforço. Precisamos desenvolvê-la e persegui-la, do contrário, acabaremos desistindo do que começamos. Um exemplo claro disso é quando um indivíduo frequenta a academia há pouco tempo e, de uma hora para outra, tem de fazer uma viagem de emergência. A menos que essa pessoa realmente queira mudar sua rotina e coloque o exercício físico como prioridade, dificilmente manterá a rotina de treinos durante esse período, ou até quando retornar. Já quem está habituado com os exercícios, faça chuva ou faça sol, dará um jeito de não quebrar o ritmo e continuar cuidando do corpo. Tudo aquilo que ultrapassa o ocasional e transforma-se num hábito torna nossa vida mais constante. Porém, para isso, é necessário fazer uma escolha. O passo número um para alcançar constância é a decisão diária. A cada instante, escolher se manter persistente.

Não são poucos os textos bíblicos que nos revelam a importância de cultivarmos a constância em nossa vida; principalmente em hábitos, como a adoração a Deus, a oração, a leitura da Palavra, a alegria, a caridade e tantos outros pilares fundamentais da caminhada cristã. Colocar o Senhor como prioridade no dia a dia e ser constante em nosso relacionamento com Ele nos habilita a receber os frutos que a permanência em Deus nos dá. Eu não sei se você já teve o privilégio de conversar com algum homem ou mulher de oração e perceber a relação extraordinária que eles têm com o Senhor. Não importa o que esteja acontecendo em suas vidas, todas as vezes que encontramos essa pessoa, ela tem uma palavra do Alto, um sorriso no rosto e, até mesmo, instiga-nos a investir e ser constante em nossa jornada com Deus.

Por outro lado, a constância é um desafio. Não há como negar. A história do povo hebreu após sua liberação do Egito nos mostra claramente essa verdade; e como a inconstância, a desobediência ao Senhor, a reclamação e ingratidão do povo escolhido os impossibilitou de colocar os pés na Terra Prometida. Em nossa vida não é diferente. Quando temos constância em nossa caminhada com Deus, passamos a conhecê-lO de maneira profunda. E isso, consequentemente, leva-nos a amá-lO, obedecê-lO, confiar n'Ele e manter nosso coração grato.

Nesse processo, existem alguns hábitos essenciais que tornam nosso coração mais maduro, parecido com o de Cristo, e nos desenvolvem em constância. O primeiro é a oração. Alguém vai dizer que a sorte do dia é acordar e pisar no chão com o pé direito; eu penso que a verdadeira sorte é despertar com os dois joelhos no chão, prostrados, e agradecendo ao Senhor mais uma oportunidade de acordar e desfrutar das Suas misericórdias. O segundo hábito que nos transforma e desenvolve em constância é a adoração. E quando me refiro a adorar, falo de algo profundo e sincero, vindo da nossa alma, e não uma coisa repetitiva ou feita da boca para fora. Por fim, o terceiro e último hábito elementar é a leitura e meditação na Palavra de Deus. Quando mergulhamos na Escritura, e a temos como a base central da nossa vida, temos acesso às respostas exatas em relação a qualquer assunto, por mais complexo ou polêmico que seja.

Vale a pena ser constante. E quanto mais nos tornamos assim, mais nos parecemos com Cristo. O texto sagrado diz que: "Jesus Cristo é o mesmo ontem, hoje e para sempre" (Hebreus 13.8). Ele nunca mudou; Ele nunca mudará. E se nada tinha persuadido você até aqui, a busca por ser como Cristo é um motivo real para precisarmos da constância.

Desafio

Memorize e diariamente escreva diferentes testemunhos ou aplicações relacionadas aos versículos a seguir. Coloque isso como uma meta pessoal para o cultivo da constância e das disciplinas espirituais na sua vida:

1. Orem continuamente. (1 Tessalonicenses 5.17 – NVI)

2. Desde o ventre materno dependo de ti; tu me sustentaste desde as entranhas de minha mãe. Eu sempre te louvarei! (Salmos 71.6 – NVI)

3. Não deixe de falar as palavras deste Livro da Lei e de meditar nelas de dia e de noite, para que você cumpra fielmente tudo o que nele está escrito. Só então os seus caminhos prosperarão e você será bem-sucedido. (Josué 1.8 – NVI)

Fome

14

Leia: Apocalipse 3.14-22

Essa passagem de Apocalipse 3 é pesada, mas, certas vezes, é desse peso que precisamos, porque, ainda que pareça contraditório, ele vem para nos aliviar. Essa carga de seriedade nos confronta, mas faz isso para tirar as bagagens que não servem, já que a verdade liberta. Nesse trecho, entre o versículo 14 e o 22, a igreja de Laodiceia estava sendo duramente repreendida por pensar que não precisa de mais nada em sua espiritualidade, que sua falta de posicionamento não faria diferença alguma. Em outras palavras, ela estava agindo como se estivesse bom do jeito que estava.

Eu mesmo já tive esse sentimento. Durante algum tempo, pensei que não precisava de mais nada em minha vida espiritual. Acreditava que estava bom como estava, que não tinha mais necessidade de buscar a Deus, não precisava mais de respostas, nem que Jesus agisse em meu favor, porque, no fundo, achava que eu conseguiria tocar minha vida sozinho. Por outro lado, enquanto isso acontecia, via pessoas dizendo ter fome de Deus. E não só isso, como também tinham sede. Em minha imaturidade e rebeldia, eu sentia pena delas e até pensava que, de alguma forma, estavam com problemas, afinal nunca paravam de orar, nunca se cansavam de buscar e jamais se sentiam saciadas. O que eu não percebia era que o problema estava em mim por não ter fome.

A falta de fome é um indicativo de que algo não está bem. Se entrarmos em um hospital, por exemplo, não nos depararemos com muitas pessoas que aceitariam uma picanha com arroz, salada de maionese, farofa e refrigerante. Por quê? Porque uma pessoa hospitalizada não só não tem prazer na comida, como, aparentemente, não sente vontade de comer. O curioso é que, mesmo nessas condições, o indivíduo continua precisando comer, mas sua carne [corpo físico] lhe diz que não está sentindo isso. O que aconteceu, na verdade, é que a doença lhe tirou o prazer da comida.

Boa parte da nossa geração, infelizmente, está sem fome. Não generalizo, afinal de contas, eu mesmo estou incluso nela, e conheço muitos que estão comprometidos em sua caminhada com Cristo. Porém, muitas pessoas pensam que não precisam de mais nada, que já têm tudo. A mensagem de Apocalipse tem milhares de anos e, ainda hoje, encontramos gente que se comporta dessa forma. Pensamos que somos autossuficientes; que temos respostas para tudo, que podemos tudo, temos tudo, e estamos bem. Mas, cá entre nós, nossa alma está morrendo de fome, porque nossa carne está dizendo que não precisamos de comida de verdade; que estamos sem vontade de comer.

Não pense estar saudável se você não sente fome. Quem não come não tem como estar bem ou sadio. O seu papel é fazer um *check-up* interno, verificar os sinais e perceber como anda a sua saúde. Identificando a doença, vá para o hospital de Cristo, e permita que Ele o cure, para que você volte a sentir fome, a ter desejo, querer e buscar. Quando estamos famintos por Deus, temos necessidade d'Ele. Já não conseguimos mais esperar pelos domingos, porque precisamos da Sua presença todos os dias, o tempo inteiro. E, assim, passamos a ser alimentados e sentir cada vez mais fome. Quanto mais buscamos, mais queremos. Quanto mais comemos, mais sentimos fome. A diferença é que, com Ele, é impossível ficarmos totalmente saciados.

Passos práticos

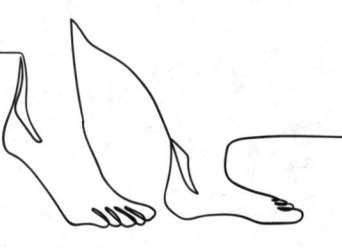

- Para desenvolver sua fome espiritual, você precisa ter constância em seu relacionamento com Deus. Esse é o número um. Por isso, separe um momento, todos os dias, nem que sejam 15 minutos diários, para investir em seu tempo com o Senhor. Não mexa no celular, não fique pensando nos problemas e assuntos a resolver, mas se concentre n'Ele e no que Ele está falando com você.

- Além da leitura bíblica, oração e adoração diárias, você pode buscar mais profundamente ao Senhor através do jejum. Escolha jejuar uma das refeições, o dia inteiro ou até mesmo vários dias seguidos, durante um período específico que o Espírito Santo colocar em seu coração. Não peça algo, institua essa prática apenas para estar mais sensível à Sua voz e conhecê-lO melhor [é importante lembrar que algumas pessoas têm contraindicações a certos tipos de jejum por questões médicas. Esteja em dia com seus exames, e seja prudente].

- Peça a Deus por mais fome e seja intencional em buscá-lO mesmo que não sinta nada. Não se esqueça: não nos movemos pelo que sentimos, e, sim, por fé.

Processos

15

Leia: Jeremias 18.1-6

Poucas pessoas desconhecem essa passagem de Jeremias 18. O que talvez muitos não tenham reparado é que, apesar de Deus ter dito a Jeremias que descesse à casa do oleiro para ouvi-lO, em um primeiro momento, o Senhor não usou de palavras para falar com o profeta. O que encontramos é uma cena de um oleiro trabalhando em um vaso. Sem palavras, mas com a obra da olaria acontecendo diante de seus olhos, não temos noção de quanto tempo Jeremias ficou ali parado, assistindo a tudo aquilo. Foi somente depois disso que Deus começou a trazer palavras para aquela cena que já comunicava muita coisa ao homem que a assistia.

Do mesmo modo como foi com Jeremias, o Senhor sempre utiliza a cena desse trecho bíblico para falar comigo. Mesmo que eu não seja um perito na produção de vasos de barro, algumas etapas fundamentais são consenso. E é por meio delas que sempre procuro deixar o Espírito Santo analisar a minha vida, falar comigo e me moldar no que é necessário.

A nossa vida, assim como um vaso nas mãos do oleiro, também passa por fases. Inicialmente, aquela terra ou argila precisa de água para amolecer e ficar maleável. Então, após a umidificação, o ceramista pega aquele barro, que muitos não valorizam e que estava no chão, e coloca sobre as rodas. Essa ferramenta começa a se movimentar enquanto as mãos molhadas do oleiro seguram e modelam o pedaço úmido de terra informe. Por fim, após toda a modelagem e secagem, aquele "quase vaso" é levado ao forno em uma temperatura altíssima.

Agora, quando me deparo com esse processo, percebo algo importante: só porque tem formato de vaso não significa que é vaso. E é por isso que precisamos respeitar as fases, porque ter a forma correta não quer dizer que estamos prontos. O erro é acharmos que estamos completos quando Deus ainda não terminou conosco. Então, as coisas começam a desandar em nossa vida e culpamos a igreja local, o pastor, as pessoas ao nosso redor, a falta de dinheiro e oportunidades, e até mesmo o nosso Oleiro, mas o grande problema é que nós não abraçamos o processo. Somos imaturos, reclamamos, amaldiçoamos e desrespeitamos as etapas e temporadas de Deus para nós, e depois não entendemos por que, quando o forno do Senhor se abre, os outros vasos [que respeitaram as fases] estão prontos, e nós não.

Pedro andou com Jesus por três anos. Três anos, dia e noite, 24 horas por dia sendo moldado por Deus. Ainda assim, quando Cristo morreu e ressuscitou, Ele disse aos discípulos: "[...] permaneçam, pois, na cidade, até que vocês sejam revestidos do poder que vem do alto" (Lucas 24.49). Acredito que, depois de todo aquele tempo, eles pensaram que estavam prontos; mais do que preparados para o que quer que fosse. Mas não, teriam de deixar o processo terminar; eles precisavam de algo a mais. A essa altura, Pedro já tinha cortado a orelha de um soldado, falado besteiras, negado a Cristo, desistido e voltado a pescar. No entanto, ao se encontrar novamente com Jesus e ser cheio do Espírito Santo, ele pregou pela primeira vez, e três mil almas se renderam ao Senhor (cf. Atos 2.41). Aquele homem imaturo, medroso e impulsivo, após estar um pouco mais pronto [afinal, a vida inteira teremos coisas para tratar], tornou-se um dos maiores apóstolos da Igreja Primitiva, revolucionando o mundo da época.

Da mesma maneira, depois de estar um pouco mais pronto, sabe a sua casa? Você a conquistará para Jesus. Sabe a sua escola ou universidade? Sabe seus filhos? Pais? Seus parentes? Seus amigos? Sabe a sua área de trabalho? Tudo poderá ser completamente mudado por Deus. Porque o propósito acontece quando respeitamos as fases. Acredite, Ele pode e quer usar você para transformar este mundo, mas não antes de transformar você.

Desafio

Escolha alguém de muita confiança, temente a Deus e que ame você verdadeiramente, e peça para que essa pessoa cite pelo menos três defeitos que enxerga em você. Em seguida, ore e pergunte ao Espírito Santo o que Ele pensa sobre tudo isso [o que Ele acha, não você]. Ao receber a confirmação de que precisa mudar nessas áreas, trace um plano de ação para os próximos 30 dias. Ao longo das semanas, peça *feedbacks* para aquela mesma pessoa para saber se você está evoluindo. Não se esqueça de estar em constante oração e pedir a ajuda do Espírito.

Ninguém sabe o

amanhã, mas

hoje se mantida

pode mudar o

que vai acontecer

uma escolha feita

com fidelidade]

futuro.

Por que estou aqui?

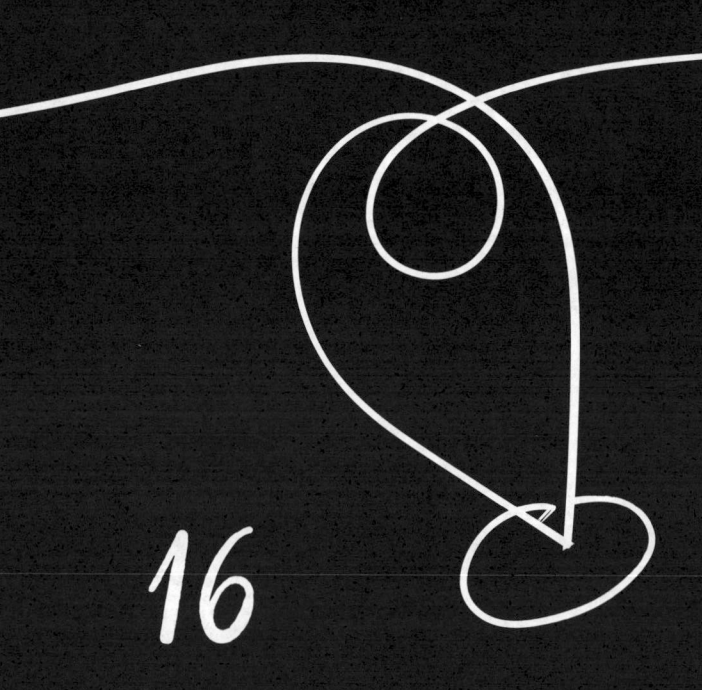

16

Leia: Salmos 139

    Talvez essa seja a resposta que vale um milhão de dólares. Acredito que, se alguém cobrasse muito dinheiro, mas garantisse ser capaz de dizer qual é o propósito de vida de uma pessoa, todo mundo pagaria. Tem gente que venderia tudo para ter essa resposta, porque a ausência dela nos faz pensar que somos só mais um na multidão. De fato, a vida é muito diferente quando se sabe o porquê de ter nascido.
    Acontece que [por ironia ou não] essa é provavelmente uma das maiores dificuldades do ser humano. Eu me lembro de quando estava tentando encontrar o meu propósito pessoal. Vivi muito tempo sem ter essa resposta. Tentei ser piloto de avião, advogado, vendedor, bancário; eu quis ser de tudo, até o dia em que Deus colocou essa solução dentro de mim.
    O problema é que sempre confundimos propósito com "a melhor oportunidade que aparece", e aí está o perigo. O tempo todo, somos seduzidos por propostas, e muitas delas não têm nada a ver conosco. Isso faz com que percamos o nosso real destino de vista. Viver o propósito não é ser reconhecido, amado ou visto por alguém, mas, infelizmente, muitos não sabem disso e são movidos pelo que paga mais,

pelo que dá mais visibilidade, *status*, aplausos, estabilidade, e não pelo que, de fato, Deus os chamou para fazer. Assim, mantêm uma busca constante pelas melhores propostas ou os modelos que deram certo para alguém, "porque isso", eles pensam, "é o que devemos copiar para ter sucesso". Há muita gente que nunca descobriu o seu propósito, pois está vivendo o de outra pessoa, pensando que, se está dando certo para ela, também acontecerá o mesmo em sua vida.

No começo, eu fui uma dessas pessoas. Imitei um monte de gente, não somente por querer ser igual, mas porque parecia ser um modelo que dava certo. De maneira bem superficial, percebia um pouco do que Deus tinha para mim, mas estava sempre tentando copiar alguém. Eu não fazia ideia do que me aguardava; não tinha dimensão do que o Senhor havia planejado para minha vida. Mas, aos poucos, conforme dei ouvidos ao que Ele me mostrava [e não ao que eu ou as pessoas achavam que seria bom para mim], eu me encontrei. Percebi nesse processo que, se gastasse o meu tempo sendo cópia, nunca viveria o original — que é o plano perfeito de Deus. Foi quando, mais tarde, entendi: o propósito de Deus estava dentro de mim. É bem verdade que, sem o Senhor, talvez eu jamais o descobrisse e muito menos fosse capaz de completá-lo, mas compreendi, de forma profunda, que tudo o que eu precisava fazer era olhar para dentro e para o Alto, e não para fora.

Portanto, pare de ser uma metralhadora atirando para tudo quanto é lado para ver se uma hora acerta. O segredo não é quanto tempo passamos atirando, mas quanto passamos mirando. Se a gente realmente mirasse antes de atirar, falharíamos muito menos. Nosso erro é preferir acertar na sorte a confiar na resposta de Deus. É no Senhor que se encontram todas as soluções que precisamos. Pergunte para Ele, e persista em ouvir a Sua resposta. Mas, seja qual for, nunca se esqueça de ser você mesmo na caminhada.

Oração

Senhor, eu agradeço por Seu amor e por ter me criado de modo único e com um propósito específico. Como é bom viver os Seus planos! Deus, me ensine a ouvir a Sua voz e entender o que o Senhor tem para a minha vida. Seja o que for, eu desejo cumprir todos os Seus sonhos para mim. Por favor, ajude-me a descobrir por que eu nasci e como transformarei esta Terra para a Sua glória. Senhor, use a minha vida para cumprir a Sua vontade! Em nome de Jesus, amém!

Ninguém protege o que não é importante

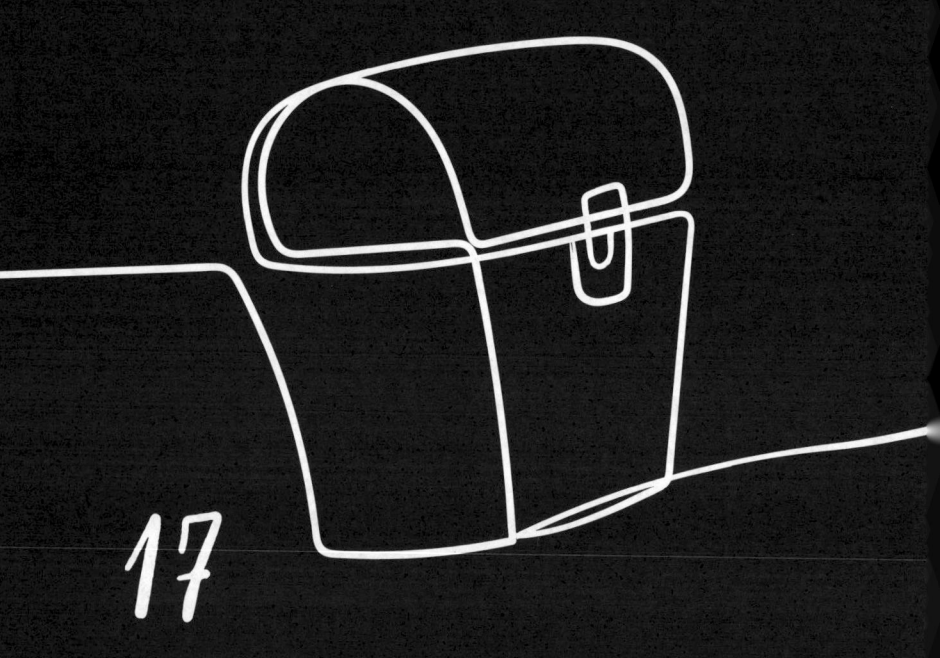

17

Leia: Provérbios 4.23; Mateus 18.3-4

Eu consigo entender muito bem por que o Reino dos Céus pertence às crianças (cf. Mateus 18.3-4). Tenho dois filhos pequenos, e como é impressionante a maneira de que eles reagem e respondem às situações. É claro, mesmo sendo crianças, os seus defeitos e imperfeições por conta do pecado original já dão as caras, mas sempre fico chocado com o quanto eles me ensinam a respeito de pureza, descanso e confiança em Deus.

Isso é totalmente contrastante com o mundo em que vivemos. É tanta pornografia, insulto, perseguição, ameaça de morte, gente querendo puxar o tapete dos outros, destilando ódio nas redes sociais; é inveja, fofoca, violência... As pessoas não estão bem. É por isso que mais do que nunca precisamos aprender a guardar o nosso coração, como Provérbios 4 nos ensina.

Provérbios foi escrito pelo homem mais sábio da Bíblia, depois de Jesus. Não por acaso, nesse capítulo, o rei Salomão, antes de aconselhar sobre a importância de protegermos nosso coração, escolheu discorrer sobre sabedoria na maioria dos versículos anteriores. Obviamente o coração aqui significa o centro das nossas emoções, pensamentos, motivações e intenções.

Agora, ninguém precisa proteger o que não é importante ou precioso. Pessoa nenhuma paga seguro para uma garrafa plástica, não colocamos um chiclete no cofre e nem contratamos guarda-costas para um lápis, por quê? Porque nada disso tem um valor que justifique uma proteção dessa dimensão. Só defendemos o que é raro e tem um alto valor.

O seu coração vale a vida de Cristo. Isso, porque ele é a fonte das nossas motivações e, portanto, a essência da nossa vida. Foi por isso que o próprio Jesus morreu para conquistá-lo, tamanho valor ele tem. As motivações são parte muito importante de quem somos. É por isso que precisamos, o tempo inteiro, pedir para que Deus purifique o nosso coração e nossas razões, assim como Davi, em Salmos 51, clamou:

> Cria em mim, ó Deus, um coração puro e renova dentro de mim um espírito inabalável. Não me lances fora da tua presença, nem me retires o teu Santo Espírito. Restitui-me a alegria da tua salvação e sustenta-me com um espírito voluntário. Então ensinarei aos transgressores os teus caminhos, e os pecadores se converterão a ti. (vs. 10-13)

Por que você se veste dessa forma? Por que trata as pessoas da maneira como faz? Por que posta fotos assim? Por que é amigo dos seus amigos? Por que você faz tudo o que faz como você faz? Para ter reconhecimento? Por interesse? Para chamar a atenção para o seu corpo? Para mostrar que você sabe mais do que os outros? Para as pessoas gostarem mais de você? Por quê? Existe uma intenção por trás de tudo o que fazemos [que pode ser boa ou ruim], e precisamos permitir constantemente que Deus nos limpe para que o nosso coração esteja sempre puro.

    A sociedade não tem caminhado para essa direção. Mas você não é todo mundo. Você pode escolher ser diferente. Não permita que seu coração se intoxique. Não deixe que ele se torne um depósito de lixo. Existe redenção. Existe pureza. Aliás, ser puro é se parecer com Cristo, e isso é a única coisa que você precisa de verdade.

Perguntas reflexivas

1. Você tem notado que seu coração está intoxicado com alguma coisa?

2. Se sim, quais passos práticos você pode aplicar em sua vida para mudar isso?

3. Você tem guardado seu coração?

4. De quais situações precisa protegê-lo? Monte um plano de ação e coloque-o em prática.

Não importa quanto

18

Leia: 2 Reis 4.1-7

Deus não enxerga as coisas como nós. Ele não trabalha a partir da nossa lógica ou valoriza o mesmo que nós. É por isso que alguns dos maiores milagres e eventos sobrenaturais da Bíblia aconteceram através de pequenas coisas ou com pessoas, aparentemente, insignificantes.

O Deus que servimos tem poder para criar a partir do nada, mas, na grande maioria das vezes, escolhe entrar em parceria conosco e usar algo pequeno para transformar em um milagre extraordinário. Você, assim como aquela mulher em 2 Reis 4, pode pensar que não tem nada; não tem recursos financeiros, capacidade intelectual suficiente, habilidades necessárias, a melhor oratória ou os contatos perfeitos, mas, se reparar, se olhar com atenção, verá que já há um pouco em suas mãos, e é isso o que o Senhor deseja multiplicar. O problema é que descartamos o pouco, porque, muitas vezes, só conseguimos enxergar a eficiência do muito. Inclusive, há aqueles que não só têm pouco, mas amaldiçoam o pouco que têm. Maldizem seu carro, reclamam da casa onde moram, dos filhos, da falta de oportunidades, do governo, e não percebem que aquilo que criticam pode ser justamente a matéria-prima para Deus operar o milagre — porque pouco em nossas mãos se torna muito nas mãos de Deus.

Enquanto a nossa postura for amaldiçoar aquilo que, aos nossos olhos, é insuficiente, nunca viveremos o milagre da multiplicação, afinal não se multiplica nada do zero. Zero vezes zero permanece resultando em zero. A multiplicação ocorre a partir de alguma quantidade, ainda que seja pouca. É por esse motivo que o Senhor, normalmente, faz o milagre por meio daquilo que já está nas nossas mãos.

A história de 2 Reis continua, e nos mostra que, apesar de aquela viúva não ter reclamado do pouco, ela tinha uma preocupação de que aquele pouco não seria suficiente. O que ela descobriu naquele dia é que a porção que tinha não importava. Deus, a partir daquele posicionamento obediente, operou para suprir a necessidade daquela família na medida exata do que precisavam. Em nossa vida, assim como nessa passagem, não é diferente: o fator determinante para a porção que receberemos do Senhor está diretamente ligado à quantidade de vasos que traremos diante d'Ele; a quantidade que cremos que Ele tem poder para encher.

O que o profeta mostrou àquela mulher é que ela já tinha o que precisava dentro de sua casa. A única vasilha com um pouco de azeite podia parecer insuficiente, mas era o necessário para que o milagre tivesse início. Então, após o comando de Eliseu, ela foi atrás de mais vasilhas, trouxe para a sua casa, fechou a porta, e o milagre da multiplicação aconteceu.

A matéria-prima para o milagre já está dentro da sua casa, e o Senhor vai multiplicar, mas o fará à medida que você crer e trouxer mais vasilhas. Infelizmente, não é todo mundo que crê o bastante. Tem gente que, se estivesse no lugar da viúva, levaria apenas um ou dois vasos para o profeta. Isso, porque foca demais no que acredita que Deus deveria fazer, e não na sua parte de correr atrás dos vasos. O Senhor é uma fonte inesgotável. Ele é fiel para cumprir o Seu papel. Enquanto tiver botija, terá azeite; enquanto existir fé, haverá o sobrenatural; enquanto tiver pouco [com fé], haverá milagre.

Pare de fiscalizar se tem azeite na botija e comece a ir à procura de mais. Pare de se perguntar se há possibilidade para o milagre e vá atrás das vasilhas, porque os milagres são reais, mas o que determina se os receberemos ou não é a quantidade de vasos que traremos aos pés do Senhor. Então, preocupe-se com a vasilha, e não com o azeite, pois enquanto houver um Deus no Céu o azeite não vai acabar.

Passos práticos

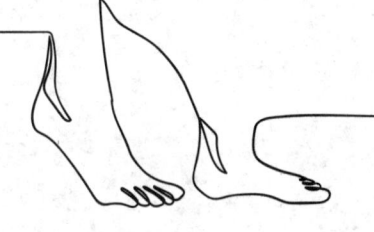

- Liste tudo o que você considera "pouco" em sua vida.

- Ore e peça para que Deus lhe traga revelação de quem Ele é e acerca do quanto pode usar cada uma dessas pequenas coisas para destravar milagres em sua jornada.

- Peça para que o Senhor aperfeiçoe o poder d'Ele nas suas fraquezas.

- Ore também e clame para que Deus lhe dê uma visão celestial em relação às situações, a você mesmo e às pessoas ao seu redor.

Zona de conforto

19

Leia: Romanos 8.28;
Gênesis 39.1-2;
Gênesis 39.11-23

A coisa mais fácil que existe é dizermos que Deus está no controle quando a situação difícil é com os outros. Agora, tudo muda quando nós estamos na crise. "Todas as coisas cooperam para o bem daqueles que amam o Senhor", nós dizemos para as pessoas. Mas o jogo vira quando a adversidade é em nossa vida. Não porque essa promessa de Romanos 8 não seja verdade, mas porque, muitas vezes, parece mais simples crer nisso quando a circunstância contrária não nos afeta diretamente.

Passar por dificuldades é inevitável. No entanto, podemos escolher crescer com isso ou permanecer estagnados ao desistirmos dos confrontos e oposições que aparecem pelo caminho. O ser humano, naturalmente, busca o conforto. Gostamos de estabilidade, sossego e controle. E é por isso que, grande parte das vezes, Deus se utiliza das circunstâncias para nos tirar das nossas zonas de conforto e transformar o nosso caráter, já que, claramente, isso não aconteceria sem a Sua ajuda.

A história de José exemplifica bem essa verdade (cf. Gênesis 37-50). O seu destino era ser governador. Contudo, ele não estava preparado para isso. José era um menino mimado, que vinha de uma família próspera. Ele era inteligente, ganhava presentes especiais e, ainda por cima, era o filho preferido de seu pai. Aquele garoto tinha uma vida maravilhosa. Tudo estava caminhando muito bem, até que uma situação mudou drasticamente o cenário e toda a sua história. Deus jamais o tornou escravo, causou situações de humilhação, prisão, perseguição e tantas dores; mas Ele fez com que tudo isso cooperasse para moldar e preparar José para governar sobre o Egito, a maior potência mundial da época.

Muitas pessoas, ao se depararem com adversidades, tendem a reclamar, desistir ou culpar a Deus. José não fez isso. Mesmo que tudo parecesse estar contra ele, aquele jovem sabia Quem estava a seu favor apesar do sofrimento e oposição. E diante disso, a pergunta que você deve se fazer é: eu realmente estou no centro da vontade de Deus? Se a resposta for positiva, então que venham esposas de Potifar, que venham prisões, sofrimento, inveja, ciúmes, que venham copeiros que se esqueceram de nós ou quaisquer adversidades, nós teremos vitória, porque Deus faz com que absolutamente todas as coisas cooperem para o bem daqueles que O amam e foram chamados segundo o Seu propósito. Nada pode destruir ou parar os que estão verdadeiramente em Cristo. Não os que apenas frequentam igrejas, não os que se dizem cristãos ou que se acham "bonzinhos", mas os que estão, de fato, enraizados em Jesus e O amam por meio de obediência e entrega radical.

Deus tem sempre coisas maravilhosas para nós, mas, em diversos momentos, não conseguimos acessá-las, porque o lugar onde nos encontramos é confortável demais. Talvez essa seja a sua posição hoje, e através das situações, Deus pode estar chacoalhando você para sair do lugar comum e se posicionar para receber auxílio e capacitação do Céu. E, assim, conquistar o melhor que Ele tem para sua vida. Não vou mentir, decerto doerá e exigirá muito esforço e dependência de Deus ao longo da jornada; mas, aos poucos, você passará a enxergar ligeiramente com mais nitidez, e depois mais um tanto, e mais, até que tudo esteja posto à sua frente e faça sentido. Então, já não importarão mais os sacrifícios, as adversidades e tudo o que deixamos para trás, porque descobriremos que o que o Senhor nos reservou no futuro é infinitamente mais do que tudo o que pedimos ou imaginamos (cf. Efésios 3.20).

Desafio

Analise a sua vida inteira por um instante e responda sinceramente: você está em uma zona de conforto? Se sim, pense e anote em um caderno quais atitudes práticas poderia tomar para sair desse lugar. Coloque em ação pelo menos uma mudança por semana.

Além disso, ore a Deus e peça para que Ele o guie, ajude e transforme a sua vida, ainda que não seja simples ou indolor. Entregue o seu coração e o controle da sua história a Ele, e ore por sensibilidade espiritual neste momento, pois dependemos do Espírito Santo. Quando a mudança começar, não permita a preguiça ou o medo dominarem você. Confie na direção dada por Deus e continue caminhando com firmeza.

Deserto

20

Leia: Jó 14.7-9;
Salmos 118.5-6;
Efésios 6.10-13

Ninguém, absolutamente ninguém, espera o dia mau. Mesmo assim, ele sempre chega. Não importa quem você é, o quanto tem em sua conta bancária ou o seu nível de intimidade com Deus, cedo ou tarde, a dificuldade aparece. Agora, apesar de termos consciência dessa verdade universal óbvia, isso não nos prepara para saber lidar com ela. É por isso que, ainda que tenhamos certa inteligência emocional e fundamentos sólidos, sem o Senhor, ninguém é capaz de passar por uma temporada difícil e sair ileso.

Compreendi bem o significado disso na prática há alguns anos. Em toda igreja há uma "irmã" que Deus usa por meio de profecias, e a minha não é exceção. Certo dia, depois de um culto extraordinário, eu estava indo embora, quando ela me fez um sinal e pediu para eu me aproximar. Na mesma hora, pela empolgação do momento, pensei: "Vem coisa boa por aí...". Mas, assim que começamos a conversar, ela disse: "Deive, Deus me mostrou que você vai passar por um grande vale". Naquele momento, senti como se um balde de água fria caísse em cima de mim. Foi um choque. E tinha mais; ela complementou: "O Senhor me mostrou você atravessando um grande deserto. Mas vai passar; tem uma vitória no final".

De repente, sem mais nem menos, foi como se toda a minha alegria tivesse sido roubada. Saí da igreja orando e dizendo: "Jesus, que ela tenha sido carnal!". Com esse pensamento em mente, desci as escadas e, chegando no estacionamento, percebi que um jovem vinha em minha direção. Logo imaginei: "Graças aos Céus, Deus enviou esse rapaz para acalmar o meu coração". Mas, assim que me cumprimentou, ele olhou para mim e repetiu as mesmas palavras de antes: "Deive, se prepare, pois um deserto se aproxima".

Voltei para casa com a minha esposa e, quando parei o carro, disse a ela: "Pode subir antes de mim, porque eu preciso conversar com Deus". Na época, morávamos em um lugar tão pequeno que qualquer oração que eu fizesse seria ouvida. Assim que a Paulinha subiu as escadas, comecei a gritar: "Jesus, toque em mim, mas não toque na minha família! Não toque na minha esposa! Não toque no meu ministério! Leve-me, Senhor, mas poupe o que de valor o Senhor me deu". Naquele momento, a única coisa que passava pela minha cabeça era a palavra "deserto". Já tinha me esquecido completamente de que, ao proferir sobre a dificuldade, aquela senhora da minha igreja também havia me lembrado da certeza de que Deus estaria comigo e, portanto, eu teria vitória no final. O tempo passou, o deserto veio, mas me agarrei ao Senhor [que esteve o tempo inteiro comigo], revesti-me da armadura de Deus e, por isso, pude vencer.

Perceba: todos nós esquecemos que há esperança. Houve esperança para tantas pessoas na Bíblia, como não haveria para nós? Em Jó 14.7-9, diz:

> Porque há esperança para a árvore, pois, mesmo cortada, voltará a brotar, e não cessarão os seus rebentos. Se as suas raízes envelhecerem na terra, e o seu tronco morrer no chão, ao cheiro das águas brotará e dará ramos como a planta nova.

A poesia desse texto é linda e me impressiona ainda mais pelo fato de que quem está falando de esperança é alguém que não deveria tê-la. Esse foi um homem que perdeu absolutamente tudo: posses, filhos, esposa, sustento, perspectiva e saúde. No entanto, ele ainda teve forças para trazer à tona essa verdade tão profunda.

É como se Jó, do fundo de seu sofrimento, aconselhasse alguém que estivesse bem, e que, da mesma forma que ele, também enfrentasse um dia mau repentinamente. Ainda que não contemplasse a sua restauração, ele sabia que, mesmo morto, poderia ressuscitar; que mesmo caído, Deus poderia levantá-lo. E isso não é exclusivo de Jó. Ao cheiro das águas, podemos ser renovados, pois Cristo é a nossa esperança. Por mais escuro que seja o dia, não podemos nos esquecer dessa verdade. Se Ele permitiu que passássemos pelo vale, há garantia de vitória do outro lado. O dia mau pode ser uma realidade, mas a presença de Jesus ao nosso lado todos os dias também é.

Oração

    Pai, sei que o dia mau é inevitável, mas, como filho maduro, desejo ter sabedoria e força para passar por ele. Abra os meus olhos e não permita que eu acredite nas mentiras de Satanás me dizendo que estou sozinho. Assim como Jó, que, em meu maior sofrimento, eu confie no Seu amor e caráter. Que toda a minha esperança esteja depositada somente no Senhor. Estou seguro no Seu poder, sabendo que nenhum dia escuro pode ofuscar o brilho da Sua glória. Em nome de Jesus, amém.

Temos acesso ao eficaz e poderoso o sangue de Jesus.

remédio mais

do mundo:

Tenha para quem ligar

21

Leia: Tiago 5.16;
Provérbios 27.17;
Eclesiastes 4.9-12

Um amigo de verdade é coisa difícil de encontrar. Feliz é aquele que o acha e valoriza. Não é à toa que a Bíblia reforça tanto a importância das boas companhias, revelando o quanto elas podem influenciar para o bem; assim como das más, que nos levam para o mal. Porém, é crucial deixar claro que existem vários níveis de amizade. O próprio Jesus tinha os setenta discípulos, os doze, os três mais chegados e um, que era o mais próximo entre eles. Todos precisamos saber escolher e diferenciar as amizades que temos. Isso nos poupará muito sofrimento e engano pelo caminho. Alguns são aqueles com quem crescemos juntos, outros, com quem faremos negócios; existem os que discipularemos, e, ainda, os que nos aproximamos na igreja, no trabalho ou em algum curso. Agora, há um tipo de amigo que é mais chegado que um irmão (cf. Provérbios 18.24), e esses são raros.

O apóstolo Tiago, inclusive, recomenda-nos e mostra a seriedade de termos pessoas a quem possamos confessar as nossas culpas, que orarão por nós, trarão palavras de conselho, exortação e alívio, e, consequentemente, que serão parte da cura que precisamos. Só que, nesse processo, muitos falham por abrir seu coração para pessoas erradas e decidir caminhar com quem não edifica de nenhuma forma. Dessa maneira, em vez de receberem cura, dão margem para a exposição e a humilhação, piorando os problemas que já pareciam grandes demais.

É claro que as companhias que mencionei e o intuito delas podem se misturar [afinal, um amigo de infância também pode ser um amigo de negócios ou da igreja, por exemplo], mas é fundamental saber discernir o lugar de cada pessoa em nossas vidas, principalmente, do amigo mais chegado que o irmão e daqueles que assumirão um papel de liderança para nós.

A todo momento, Deus está cuidando de nós e preparando pessoas estratégicas que nos trarão alegria, cuidarão da gente, nos corrigirão e instigarão ao crescimento em todas as áreas. Da mesma forma, também devemos ser essa resposta para outros. Mas, para encontrarmos ou nos tornarmos essas pessoas, precisamos de intencionalidade. Ninguém conquista coisas boas sem fazer nada. Sendo assim, se desejamos amizades verdadeiras, precisamos, primeiramente, ser amigos verdadeiros e confiáveis, ao mesmo tempo em que analisamos as pessoas ao redor e mantemos nossos olhos abertos.

Os melhores amigos são aqueles que celebram as nossas vitórias. Eles nunca nos tratarão com descaso ou sentirão inveja quando comprarmos um carro novo, ampliarmos nossa casa ou descobrirmos a chegada de um novo bebê. Pelo contrário, eles serão os primeiros a comemorar as bênçãos do Senhor em nossas vidas. Serão aquelas pessoas que nos trarão à realidade, que nos farão sentir humanos e nunca desmerecerão nossas conquistas. Amigos de verdade também se importam com as nossas derrotas e não fazem disso motivo de piada ou fofoca, mas nos estendem a mão quando estamos caídos.

Sabe o que é melhor? Se algum dia acabar a gasolina, faltar o dinheiro para um boleto, acordar de madrugada precisando de uma oração, sofrer um acidente, precisar de um aconselhamento, necessitar de ajuda espiritual ou emocional, eu sei para quem ligar. E você também tem de saber. Os companheiros de caminhada existem, basta procurá-los com sabedoria. Orar por isso também é algo muito, muito inteligente a se fazer.

Portanto, se você precisa de alguém [e todos nós precisamos], saia à procura e ore até encontrar a(s) pessoa(s) certa(s). Valorize quem valoriza você; quem verdadeiramente se importa com você. Procure por gente curada, que o faça crescer e ser mais parecido com Cristo. Preste atenção aos sinais, e tenha fé: os companheiros certos existem. Só não se esqueça, nesse processo, de também se tornar esse alguém para outras pessoas.

Perguntas reflexivas

1. Você tem amigos verdadeiros caminhando ao seu lado?

2. As pessoas que o cercam têm contribuído para sua vida ou têm sido um atraso?

3. Você tem se mostrado aberto para confessar seus erros e receber ajuda? Ou tem ignorado os conselhos de seus amigos próximos e líderes, e tentado agir sozinho?

Quando não tem mais jeito

22

Leia: Hebreus 11;
2 Coríntios 5.7;
Mateus 17.14-21

Eu acho interessante quando um ateu explica a fé do cristão dizendo que nós acreditamos por precisarmos de uma esperança. O que me questiono é: e quem não precisa? A diferença é que a nossa, ao contrário daquela proporcionada pela ciência, por exemplo, não tem limites. Não existe nada, absolutamente nada que Deus não possa fazer. O que não quer dizer que Ele fará tudo. Acontece que, mesmo sendo todo-poderoso, invencível, bom e confiável, muitos acabam perdendo sua fé no Senhor. Seja por terem se decepcionado com pastores, líderes, pessoas, por não terem recebido o que pediram a Ele — ainda que fosse um pedido plausível — por terem se cansado, ou por qualquer outro motivo. É verdade, as pessoas podem oscilar, mas Deus não muda.

O maior erro que podemos cometer é colocar nossos olhos e expectativas em qualquer coisa que não seja o caráter de Deus. Não importa o que cometeram contra nós ou mesmo se nossas orações foram atendidas ou não — e até se não foram respondidas no momento em que gostaríamos —, a nossa fé no Senhor e em quem Ele é não pode mudar.

Imagine se Jairo tivesse se frustrado com Jesus e O impedido de ir à sua casa, salvar sua filha, no instante em que o Mestre parou para dar atenção à mulher com o fluxo de sangue. Foi nesse meio tempo que a menina morreu (cf. Marcos 5.21-43). Eu não tenho ideia da dor que aquele homem deve ter sentido diante da notícia de sua pequena menina estar morta. Ali, ele tinha a chance de ter se revoltado, mas não o fez, e sua filha foi ressuscitada por Cristo, ainda que não tenha sido na hora em que Jairo tinha planejado. Não sei você, mas, para mim, é exatamente nesses cenários da vida em que achamos que é o fim, que não tem mais jeito, e tendemos a enfraquecer na fé, que faz todo o sentido crer. É nessas situações que precisamos confiar ainda mais. Eu acho lindo quando Jesus, após aquela trágica notícia, olha para aquele pai, completamente sem chão, e diz a Jairo: "Não tenha medo; apenas creia!" (Marcos 5.36b). O nosso papel é crer. Crer não apenas que o milagre vai acontecer, mas que Deus continuará sendo bom e tendo o melhor para nós ainda que nada mude. A confiança não está no milagre, mas em Quem pode fazê-lo.

Eu me lembro que, logo que me converti, e estava na igreja, uma senhora passou por mim com a mão na boca, fazendo uma careta de dor. Perguntei o que estava acontecendo e ela comentou que estava indo para o hospital por conta da forte dor que estava sentindo. Foi quando eu disse: "Deixe-me orar primeiro!". "Vai que Deus cura! Eu vou perder uma oportunidade dessas?", pensei em seguida. Aquela senhora prontamente sorriu e aceitou a oração. E sabe o que aconteceu? Nada. Jesus não curou, e ela foi para o hospital. Mas é aí que está: eu continuo crendo, não pelo que eu acho que tem de acontecer, mas pelo que já sei: Deus é bom, Ele pode curar e vai curar, se quiser. Mas se o Senhor não fizer isso, continuo crendo que Ele sabe o que é melhor. Termos fé não significa que todas as experiências darão certo, mas que sempre existirá a possibilidade de dar, ainda que seja impossível, apenas pelo fato de Deus estar na equação.

Há uns anos, meu filho João pegou uma virose e ficou muito, muito mal. Eu e minha esposa ficamos extremamente preocupados e resolvemos levá-lo ao hospital. Antes, explicamos que ele não estava bem e que precisaríamos ir ao médico para ele levar uma picadinha no braço e tomar soro. Imediatamente, ele começou a chorar, dizendo que iria doer e que não queria ir. O meu coração e o da Paulinha racharam naquele momento. Então, disse ao João: "Filho, olha pro papai. Antes de irmos, a gente vai orar e, se o Papai do Céu curar você, não vamos mais precisar ir pro hospital". Ao ouvir aquelas palavras, ele rapidamente abaixou a cabecinha, colou as duas mãozinhas juntas, e falou: "Papai do Céu, cura eu!". Naquele instante, em meu coração, eu supliquei: "Senhor, essa é a minha oportunidade de apresentá-lO ao meu filho da maneira mais eficaz possível. Cure o meu filho, por favor! Em nome de Jesus, amém!". Na mesma hora, de forma inacreditável, o João foi curado. E Deus pode fazer o mesmo em sua vida. Mas, ainda que não faça, Ele continuará imutável, bondoso e nos dando sempre o melhor. Não desista; "não tenha medo; apenas creia!". Crer faz a diferença.

Passos práticos

• Identifique os pontos da sua vida em que sua fé tem sido atacada. Liste cada um deles e torne-os pautas das suas orações.

• Perceba se, entre seus amigos ou familiares, existem pessoas fracas na fé e procure formas de incentivá-las a persistirem crendo no Senhor.

• Invista tempo lendo e memorizando trechos da Palavra de Deus que o ajudem nos momentos de incredulidade. Alguns versículos são verdadeiras armas espirituais que podemos usar para repreender certos pensamentos e manter nossos olhos na direção correta.

Saiba nadar

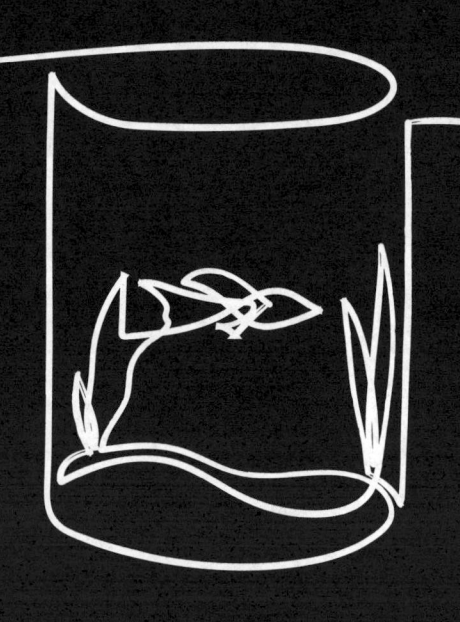

23

Leia: Lucas 1.80;
2 Pedro 3.18;
1 Coríntios 9.24-27

João Batista, aquele que anunciou a Cristo e O batizou nas águas do Jordão, não surgiu assim, de uma hora para outra. Antes de iniciar seu ministério, suas pregações, e pavimentar o caminho do Mestre, a Bíblia nos diz que ele estava no deserto. E não apenas peregrinando ou desfrutando de uma alimentação esquisita, mas crescendo espiritualmente. Somente quando estava pronto para exercer o seu chamado foi que João Batista se mostrou publicamente a Israel.

Com Jesus, a história foi muito parecida. Antes de curar enfermos, expulsar demônios e anunciar o Reino dos Céus, Cristo investiu trinta anos de sua vida aprendendo e sendo lapidado. Até carpinteiro Ele foi. Além disso, logo após Seu batismo, o Filho de Deus passou por um treinamento intenso de quarenta dias no deserto, em jejum, sendo tentado por Satanás. E nem Ele nem João foram exceções. Todos os homens e mulheres extraordinários da Bíblia passaram por uma preparação.

Hoje, no entanto, parece que a lógica quer se inverter. Todo mundo deseja exercer alguma coisa, mas ninguém está disposto a ser treinado; todos querem aparecer, falar, pregar, evangelizar, ministrar, mas são pouquíssimos os que entendem a necessidade da preparação. Só que o resultado disso é uma geração de cristãos imaturos e despreparados. O treinamento, para muitos, tornou-se algo relativo, e não indispensável no processo. O que eles não entendem é que é o tempo de preparo que gerará consistência, maturidade e competência em nossa missão.

Alguns pensam que a preparação pode atrasar o plano de Deus. Então, na ânsia de quererem viver o chamado divino em suas vidas, tentam pular algumas etapas e ignoram os estudos, o treino e o tempo de espera para se tornarem grandes profissionais e líderes de sucesso. Aqui, não me refiro a apenas aqueles que foram comissionados para a esfera da Igreja, mas a cada um no Corpo de Cristo, que foi direcionado e criado para um propósito específico. Algumas pessoas foram chamadas para ser pastores, enquanto outras para ser empresários, atores, estilistas, políticos, poetas, professores, assistentes sociais e por aí vai. Cada ser humano tem a sua vocação dada por Deus, e nosso papel é representarmos a Cristo e revelarmos o Seu caráter no lugar único que Ele nos colocou. É de pouquinho em pouquinho, nas pequenas atitudes e respostas que damos no dia a dia, que as pessoas ao nosso redor poderão ou não enxergar e desejar o Cristo que amamos. Afinal, pelos frutos conhecemos a árvore.

Em contrapartida, não basta estar preparado. Também é preciso ter amor. Necessitamos dos dois na equação. Da mesma maneira como apenas o amor não é suficiente. Pense comigo. Imagine um pai assistindo sua filha brincar no mar e, de repente, vê uma das ondas encobrir a menina e arrastá-la para o fundo. O homem se desespera e corre até a água. Porém, quando chega próximo da criança, percebe que o lugar é muito fundo e, ainda por cima, lembra que não sabe nadar. Aí é tarde demais. Na tentativa de salvar a menina, os dois acabam morrendo. Agora, vem a pergunta: em algum momento, aquele pai deixou de amar sua filha? É óbvio que não; mas só o seu amor não bastava naquela hora. O que o ajudaria, então, a salvá-la? Saber nadar.

Da mesma forma, muitos têm estendido a mão para outras pessoas e morrido no resgate, porque só tinham amor, mas nenhum treinamento. Quantos estão deixando suas igrejas e desistindo de seus chamados, porque estão cheios de afeto e compaixão, mas, por não terem o preparo necessário nem fundamentos bíblicos suficientes, não construíram sua fé, raízes e maturidade o bastante para sustentar o que Deus deseja lhes entregar?!

    Isso não é um desencorajamento, e sim um alerta: não podemos ajudar ninguém se, dentro de nós, falta preparo e consistência. Por isso, conheça as suas limitações antes de entrar no campo de batalha. Não adianta absolutamente nada entrar na guerra para morrer! Se for para lutar, conheça as suas armas; conheça o seu General; conheça o seu Inimigo. Você é um bom soldado que está sendo preparado; tenha estratégia e seja diligente, senão você pode até ter amor, mas morrerá tentando resgatar quem tanto amou. Se você ama, treine, porque se, um dia, esse alguém entrar na água, você, com certeza, vai querer saber nadar para salvá-lo.

Oração

Deus, muito obrigado por ter me escolhido para o Seu exército. Eu entendo que preciso me preparar e ser responsável com o que o Senhor entregou em minhas mãos. Não desejo ser um soldado sem função, que não sabe o que fazer em meio à batalha, e se encontra sem armas espirituais e sem conhecimento acerca dos objetivos pelos quais luta. Assim como João Batista e Jesus, me treine e aperfeiçoe para realizar a Sua obra com maestria e excelência. Não quero ser como aqueles que terminam de sepultar os mortos, mas como os que levam vida por onde passam. Quero estar matriculado na Sua escola e aprender a agir segundo os Seus mandamentos. Em nome de Jesus, amém!

Um passo de cada vez

24

Leia: Filipenses 4.6;
1 Pedro 5.7;
Mateus 6.31-34

Quem nunca quis apressar alguma coisa na vida? Que ser humano jamais desejou que as coisas acontecessem em seu tempo? Temos dificuldade com a espera. Não gostamos de processos nem da sensação de não estar no controle. Mas, ainda que façamos atividades repetidas ou tenhamos uma rotina parecida, um dia nunca é igual ao outro. Não temos como dominar tudo nem acreditar que será sempre igual.

Nem mesmo o amadurecimento e aprendizado acontecem no mesmo ritmo para todo mundo. Tanto é que só amadurece mesmo quem quer; quem não quer, ainda que tenha um monte de oportunidades, prefere focar em si mesmo e na sua dor, em vez de colocar os olhos no que cada situação traz como benefício. No fundo, um grande problema é desejarmos viver as coisas antes da hora; a gente quer acelerar os processos por ansiedade ou falta de *timing*.

Há pouco tempo, ouvi a história de um pai de família que, próximo da sua aposentadoria, disse aos seus familiares: "O pai está quase se aposentando e, quando isso acontecer, vou comprar um jipe conversível para a gente". Na mesma hora, todos comemoraram à sua maneira, sonhando e comentando sobre o quanto seria divertido viajar, passear no *shopping* e visitar os amigos com o novo carro. Foi quando o filho mais novo disse: "Eu não vejo a hora de sentar no banco da frente e ficar buzinando". Ao ouvir essas palavras, o pai lascou um tapa no menino. Ninguém entendeu nada, até que o homem, bravo, completou: "Você não vai estragar a buzina do jipe!". Aquele carro ainda nem era realidade; a aposentadoria ainda nem tinha saído; e, mesmo assim, o menino apanhou.

Essa história pode parecer engraçada, mas, se pensarmos bem, estamos rindo de nós mesmos. Afinal, quantos são os "jipes" em nossa vida que ainda não foram comprados e já nos tiram o sono? Quantos projetos mal saíram do papel e já estão quebrando a nossa cabeça com problemas hipotéticos? A Bíblia, por outro lado, é bem enfática sobre isso: "Não fiquem preocupados com coisa alguma" (Filipenses 4.6a). E "coisa alguma" é exatamente o que as palavras querem dizer: coisa alguma. Seja a viagem que só acontecerá no fim do ano; o namorado que ainda não chegou; a esposa que ainda não conhecemos; o filho que ainda não veio; a porta de emprego que não se abriu; não devemos ficar ansiosos por nada nesta vida.

Gente ansiosa sofre antes da tragédia, chora antes da dor, sorri antes da alegria e comemora antes da vitória [e, no fim, às vezes, até esquece de perguntar se essa é mesmo a vontade de Deus]. Logo, todos os sentimentos legítimos que deveriam ser vividos no seu devido tempo acabam perdendo a sua intensidade. Tudo o que é feito antes da hora não tem graça e, em diversos momentos, em vez de alegria verdadeira nos traz dor.

Agora, se há Alguém que sabe tudo, antes mesmo disso chegar em nossas mentes, esse é Jesus. Ele sabe exatamente o que vai acontecer amanhã, depois de amanhã, na semana que vem, no mês que vem, no ano que vem e além. Cristo nos conhece. Ele sabe o nosso passado, o nosso presente e é quem determina o nosso futuro. E Ele é bom. Talvez não entendamos agora ou não tenhamos as respostas no instante em que gostaríamos, mas se conhecemos a natureza de Deus, temos a garantia de que, se Ele prometeu, cumprirá a Sua palavra, e por isso, podemos descansar.

Já parou para pensar que hoje você está vivendo coisas que ontem não acreditava serem possíveis? Então, quem sabe, não seja a hora de começar a parar de focar no que deseja e apenas confiar no Deus bondoso que concedeu a bênção de hoje, que ainda ontem parecia ser impossível. Que tal acreditar que amanhã Ele continuará presente na sua história, cuidando dos seus sonhos e lhe mostrando o que realmente importa? Por isso, relaxe, e não esqueça que algumas coisas não mudam: hoje, você pode estar ansioso, mas amanhã descobrirá que não precisava ter se preocupado tanto.

Passos práticos

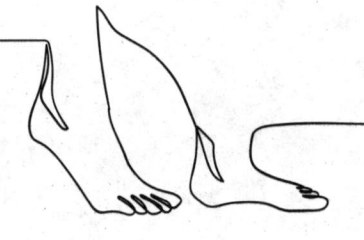

- Analise sua vida e enumere as situações que têm tirado a sua paz.

- Pergunte ao Senhor quais são as preocupações desnecessárias que você vem carregando e peça que Ele alivie esse peso. Invista tempo em oração, ouvindo o que Deus tem a dizer sobre os seus projetos atuais e Lhe perguntando os Seus planos para a sua vida.

- Muitas vezes, a ansiedade é fruto dos ambientes em que estamos inseridos. Por isso, reavalie quais círculos podem estar influenciando suas atitudes até aqui.

A voz do povo é a voz de Deus?

25

Leia: Marcos 15.1-15;
Gênesis 6.9-22

Noé foi um homem de peito. Eu fico imaginando como deva ter sido começar a construir um barco simplesmente colossal, em uma época em que não chovia, durante décadas e mais décadas, e sem o apoio de ninguém. Aliás, não só sem apoio de ninguém, mas aturando o desprezo e zombaria dos que estavam ao redor. O curioso é que a mesma multidão que vaiou foi aquela que implorou para entrar na arca depois de pronta. Com Jesus foi assim também, só que o aplauso veio antes da vaia. Nem mesmo Ele foi poupado da famosa "voz do povo". Por onde passava, multidões se reuniam em busca de curas, libertações, conselhos, ensinamentos extraordinários e tantas outras coisas realizadas pelo Mestre. Quem é que não gostaria de estar perto de um Homem como esse? Porém, de uma hora para outra, o grito da multidão passou a ser: "Soltem Barrabás! Crucifiquem Jesus!".

Desde crianças, ouvimos que "a voz do povo é a voz de Deus". O que não nos contam é que o povo tem seus próprios interesses, e estes, na maioria esmagadora das vezes, pouco têm a ver com a vontade de Deus. É por esse motivo que a multidão nunca pode ter influência sobre nós. Jamais podemos ser dependentes da aprovação das pessoas. Infelizmente, muitos têm permitido que a voz do povo seja o árbitro e o fator decisivo em suas vidas. Dessa forma, em vez de escutarem a opinião de Deus e o que Ele está dizendo a seu respeito, sobre o seu chamado, seus relacionamentos, saúde, emprego, presente, passado e futuro, preferem se deixar levar pelo que parece convincente no momento. Ou seja, se todo mundo gosta e ovaciona o que estamos fazendo, deve ser porque estamos certos, mas se ninguém aplaude é porque algo está errado.

Acontece que a voz de Deus não é como a de todo mundo. Ela não oscila de acordo com interesses pessoais, ambiente, indivíduos envolvidos ou assuntos particulares; ela é o que é, assim como Ele.

Às vezes, eu me pego pensando no sentimento de Cristo ao ver todos aqueles que Ele curou, amou, salvou e libertou O condenando. De maneira tão cruel, baixa e vil, a multidão enfurecida retribuía o amor que recebeu com a condenação de um Inocente. Preferiram condenar Alguém por pressão dos fariseus ao invés de serem fiéis Àquele que os chamava para viver em Seu Reino. Agora, imagine se, naquele momento, o foco de Jesus estivesse na reação e opinião da multidão, quem sabe Ele não tivesse pensado duas vezes a respeito da Sua missão ou capacidade para suportar tudo aquilo. Isso, sem contar o fato de que, a certa altura da crucificação, Ele Se sentiu abandonado até pelo Pai. Mas, apesar das circunstâncias e da opinião alheia, a vontade de Deus era bem diferente do que as pessoas esperavam.

Não, a voz do povo não é a voz de Deus. Pelo menos não na maioria das vezes. É por isso que ela não pode determinar o nosso propósito, nos derrubar ou erguer. Não somos piores se formos criticados nem melhores se elogiados. O que os outros pensam não pode afetar quem somos, a forma como vivemos ou nos comportamos. A única voz que pode e deve alterar a nossa direção, mentalidade e comportamento é a voz divina. Tirando essa, os que merecem a nossa atenção são apenas aqueles que nos amam, que amam ao Deus que servimos e que conhecem o Seu propósito para nós. Deles, devemos aceitar as repreensões, os conselhos e os aplausos, porque são vozes que nos colocam no eixo. Ouça as palavras de sua mãe quando ela disser algo importante. Ouça o seu pai quando ele chamar sua atenção. Ouça os seus irmãos quando eles alertarem sobre algum perigo. Ouça os seus melhores amigos quando eles pedirem por paciência da sua parte. Mas, acima de todos eles, escute a Deus.

Desafio

Separe o dia de hoje para se desconectar de todas as vozes ao seu redor. Se possível, tranque-se algumas horas dentro do seu quarto, desligue todos os aparelhos eletrônicos e concentre-se totalmente na voz de Deus. Talvez, Ele fale com você de forma audível, mas, em grande parte das vezes, surgem alguns pensamentos, impressões na alma ou sentimentos. Não se espante. O Senhor pode falar de várias formas. Em seguida, peça para que o Espírito Santo lhe diga como Ele o enxerga. Pegue um papel e uma caneta e anote tudo [lembre-se: o Senhor jamais diz coisas pejorativas ou ruins sobre nós. Se você ouvir algo negativo, repreenda, mande embora e clame por mais clareza da Sua voz]. Depois, pegue essas qualidades e características e procure embasamento bíblico. Escreva as referências ao lado e cole em algum lugar de seu quarto que fique à vista. Leia e declare essas verdades por um mês, todos os dias.

Somos frutos de

não do que acontece

nossas decisões,

em nosso ambiente.

E se eu tiver medo?

26

Leia: 2 Timóteo 1.7;
1 João 4.18

Eu tenho dois filhos pequenos, o João e o Noah. Os dois nasceram exatamente no mesmo dia, com dois anos de diferença um do outro. Eu me lembro que, quando o João começou a andar, eu e minha esposa ficamos muito empolgados, mas, ao mesmo tempo, em alerta, pois ouvíamos de todos os nossos amigos: "Na casa de vocês tem escada? Melhor colocar uma proteção logo"; ou então: "Tem piscina? Não demorem para colocar uma lona!"; "Vocês já cobriram as tomadas?"; "Já instalaram protetores nas quinas das mesas?". Como pais de primeira viagem, tomamos as precauções e removemos todos os possíveis perigos de dentro do nosso lar; além de nunca descuidarmos do João, afinal, crianças nessa idade são imprevisíveis. Só que, apesar disso, certo dia, ele desobedeceu e caiu feio. Conseguimos consolá-lo, no entanto, aquela queda e o medo gerado a partir dela ensinaram muito mais ao nosso filho do que qualquer outra coisa que pudéssemos dizer.

Ali, o João aprendeu sobre o medo como um instinto de sobrevivência, que pode prevenir contra sustos muito maiores no futuro. E esse instinto de se proteger e sobreviver a gente não pode perder. Afinal de contas, como morre afogado o bom nadador? Quando perde todo o medo da água. Por outro lado, no instante em que o medo necessário foge do controle, uma luz de alerta deve se acender. Porque nunca podemos permitir que o espírito de medo nos domine.

Na segunda carta de Paulo ao seu filho na fé, Timóteo, o apóstolo fala justamente sobre esse assunto. Timóteo era jovem, mas como pupilo do maior missionário da Bíblia já tinha grandes responsabilidades em suas mãos. Seus liderados, Paulo e o próprio Deus tinham expectativas sobre ele, e o medo não poderia ter lugar em sua vida. Foi em razão disso que seu mestre o aconselhou: "Porque Deus não nos deu espírito de covardia, mas de poder, de amor e de moderação" (2 Timóteo 1.7).

Esse é o Evangelho: uma mensagem de ousadia e coragem. Nele, não há espaço para recuar ou temer o Inimigo; apenas para avançar e conquistar. Mas parece que muita gente não tem ideia do poder que há dentro de si por meio do Espírito Santo. Traumatizadas com as quedas dos primeiros passos, não fazem uso da autoridade conquistada por Cristo na Cruz. Assim, preferem continuar cultivando seus medos, colocando-se, espontaneamente, debaixo de um jugo que já foi quebrado pelo sangue do Cordeiro. Contudo, o verdadeiro amor lança fora todo o medo (cf. 1 João 4.18). Ao contrário do amor, o medo supõe castigo, mas "[...] aquele que permanece no amor permanece em Deus, e Deus permanece nele" (1 João 4.16).

Deus não tem amor. Ele é amor. Se temos medo, o que precisamos é permanecer n'Ele e receber mais da revelação do Seu amor por nós. Se você se sente dominado pelo espírito de medo, cego pelos temores, sem esperança e amor, saiba: esse não é o Espírito de Deus agindo em você. O Evangelho de Jesus nos liberta, porque, quando descobrimos verdadeiramente o quanto somos amados, não há medo que possa nos paralisar.

Oração

Deus, muito obrigado pelo Seu amor. Por favor, ensine-me a confiar no Senhor e no quanto sou amado. Não permita que eu seja dominado pelo medo e insegurança. Peço que me dê coragem e força para lutar contra o espírito de medo. Derrame mais do Seu Espírito sobre mim. Abro mão de toda a covardia e recebo o Seu Espírito de poder, amor e equilíbrio. Em nome de Jesus, amém!

Menos é mais

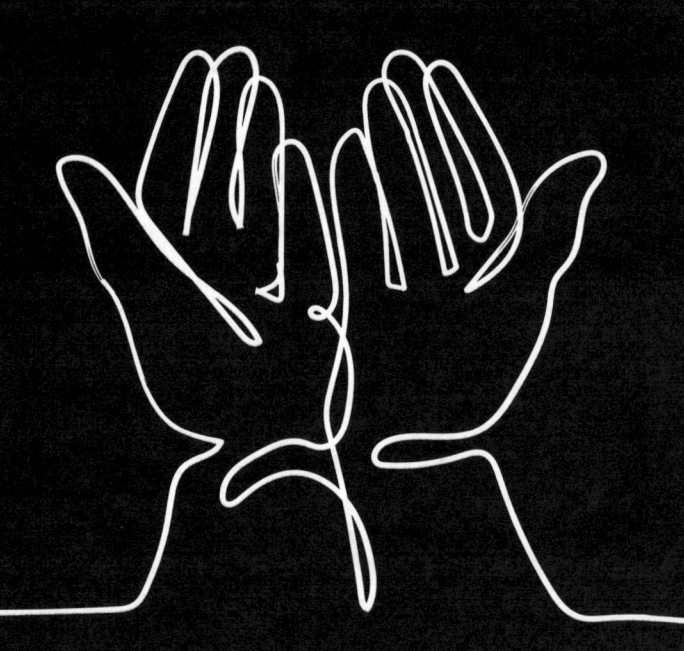

27

Leia: Tiago 3.2-12;
Mateus 12.36-37;
Salmos 34.12-13

Uma fagulha. Um leme. Uma língua. O que tudo isso tem em comum? Todos são pequenos, mas podem gerar grandes, grandes impactos. A pequena centelha, porque pode incendiar uma floresta inteira; um par de lemes, porque é capaz de governar uma embarcação inteira. E a língua... Bom, a língua pode gerar vida ou morte (cf. Provérbios 18.21). Ela é capaz de sentenciar o nosso destino, determinar os lugares a que teremos acesso, aproximar e afastar pessoas, condenar-nos ou absolver, e até mesmo gerar bênção ou maldição. Dependendo do que sai da nossa boca, ela pode nos levar mais longe do que nossas pernas jamais sonhariam em fazer.

No entanto, quando somos apressados e não refletimos ao expressar nossa opinião, pensamentos e qualquer outra coisa que desejamos compartilhar, as chances dessas palavras se transformarem em uma faísca, que incendiará todo o ambiente e o destruirá, são muito grandes. Quantas pessoas não machucamos [às vezes, sem que nos déssemos conta disso] por falarmos demais ou descuidadamente? Quantas decisões erradas tomamos porque falamos antes da hora? Ter sabedoria e entender o momento certo de abrir a boca evitaria tantos problemas de relacionamentos, brigas, mágoas e feridas profundas. Deveria ser unanimidade pensar para falar, mas, por mais básico que isso seja, para muitos, tornou-se luxo meditar antes de dizer alguma coisa.

É verdade, uma das maiores dificuldades do ser humano é frear sua língua. O próprio livro de Tiago nos confirma isso. Aquele que domina a sua língua é um homem perfeito (cf. Tiago 3.2). Mas nada é impossível para os que andam com o Espírito Santo e dão liberdade para que Ele os transforme. Com a Sua ajuda, somos capazes de refrear a nossa língua e ter sabedoria para falar, agir e nos comportar.

Contudo, é aqui que muita gente confunde o significado das coisas. Ser sábios no falar não quer dizer que, se somos extrovertidos, tenhamos de parar de nos expressar, nos tornar menos falantes e até tímidos. Não tem a ver com a quantidade de palavras que proferimos, mas com o quanto refletimos antes de pronunciar e o quanto de propósito existe nessa fala. A Bíblia diz que, na multidão de palavras, não falta pecado (cf. Provérbios 10.19). Ou seja, quanto mais nós falamos, mais chances de errar temos.

Eu falo todos os dias. Todos falamos todos os dias. E quanto mais eu falo, confesso que tenho ainda mais vontade de continuar. Só que entendi que, quanto menos eu faço isso, mais eu acerto. Nem por isso a resposta está no número de frases que soltamos ao longo do dia. O segredo é falar de forma assertiva, refletindo e entendendo se existe um propósito bom ou não por trás do que pretendemos expor.

Portanto, em vez de falar tanto e de maneira insensata, decida ouvir mais. Quanto mais você ouve, mais tempo tem para pensar e, nessa espera, mais precisas as suas palavras podem se tornar. Resguarde o seu coração, viva mais antes de falar. Não tente estar sempre certo. Perdoe de uma vez os que o feriram e ofenderam com palavras. Seja paciente, inteligente e estratégico na sua comunicação, para que, quando você abrir sua boca, seja para curar, liberar bênçãos, levar vida, amor, conforto, confronto e esperança. Que, ao se pronunciar, seja Deus falando através de você, e não aquilo que está escondido em seu coração ou algum sentimento desejando se sobressair. Hoje, você tem o poder de escolher bênção ou maldição. Quer um conselho? Escolha a vida (cf. Deuteronômio 30.15-18).

Perguntas reflexivas

1. Quanto tempo você gasta falando durante o dia? E ouvindo?

2. Quando seus amigos e parentes pensam em você, eles têm a referência de um falastrão ou de um bom ouvinte?

3. Você já perdeu oportunidades ou estragou amizades por falar sem pensar? Se sim, talvez seja o momento de fazer uma análise ainda mais profunda sobre o peso das suas palavras.

Diga-me com quem andas...

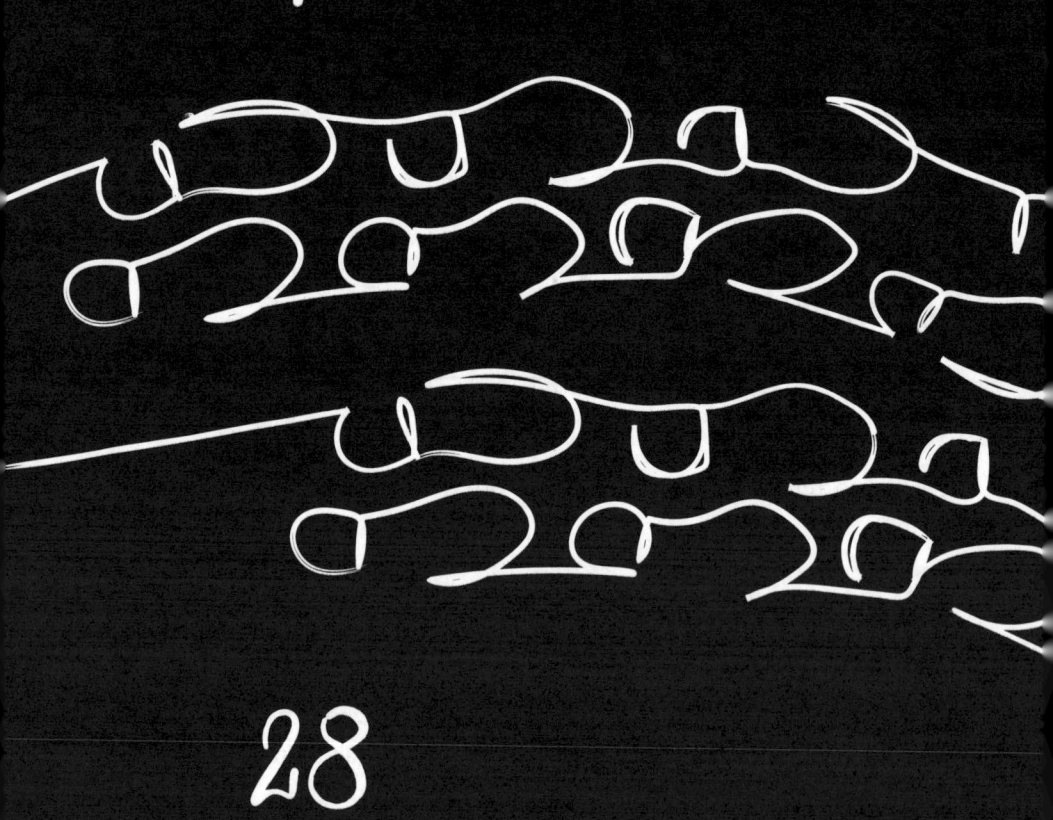

28

Leia: Jonas 1;
1 Coríntios 15.33;
Salmos 1.1-2

Todos os dias, antes de dormir, eu tenho uma rotina com meu filho mais velho: nós nos sentamos na cama, faço uma massagem nos ombrinhos dele, e ele me pede para contar uma história. A sua favorita é a de Jonas. Só que, certa vez, enquanto lia em voz alta, meu pensamento foi para bem longe, imaginando todo o cenário de pessoas inocentes naquele barco, que pagaram um alto preço por carregarem alguém fora da direção de Deus. Normalmente, quando pensamos sobre esse episódio, afirmamos que a história se trata de "Jonas e a baleia", ou então "Jonas e o povo de Nínive", mas ninguém se lembra dos marinheiros que foram totalmente prejudicados apenas por transportar um fugitivo.

A Bíblia conta que Jonas, após ser comissionado para pregar aos ninivitas, decidiu desobedecer ao Senhor. Ele foi até o cais, descobriu um barco que tinha como destino a cidade de Társis, e não pensou duas vezes antes de embarcar. De repente, no meio da viagem, Deus enviou uma forte tempestade. A questão é que aquelas ondas violentas eram para Jonas, e não para os inocentes no barco, mas, pelo fato de estarem junto do profeta, acabaram sendo atingidos também.

Isso significa que, da mesma forma, eu e você podemos andar com pessoas que estão vivendo uma vida contrária à caminhada com Deus [seja promíscua, criminosa, errada, degradante ou qualquer outra coisa] e, por isso, ser atingidos pelas consequências das suas atitudes. Assim, acabamos colhendo resultados que nem plantamos. Isso é muito sério. Imagine os marinheiros: desesperados, orando a todos os deuses que conheciam, revisando o plano de viagem, tentando descobrir se haviam feito algum erro de cálculo e, até mesmo, lançando seus bens mais preciosos no fundo do mar, pensando que o que estava atrapalhando pudesse ser o peso. Enquanto isso, o real problema [Jonas] dormia no fundo barco.

Tantas vezes atraímos dificuldades, peso e atraso para as nossas vidas simplesmente por entrarmos em relacionamentos tóxicos. Pessoas que nos adoecem, nos afastam do Criador, da nossa família, sugam nossas energias e tempo, e destroem nossas emoções. Tudo isso, porque deixamos qualquer um entrar em nosso barco.

Por algum motivo, muitos cristãos acreditam em uma ideia mentirosa a respeito de ser nosso dever ter amizade com todos. Talvez você já tenha até ouvido: "Crente tem que ser amigo de todo mundo". Mas, se o próprio Jesus não agia assim, por que achar que nós devemos? Cristo não era amigo de todo mundo, Ele amava a todos; e isso é bem diferente. Independentemente de quem eram, Jesus Se importava, tinha compaixão, curava, alimentava, levava esperança, demonstrava o Seu amor, ensinava, mas não eram todos esses que andavam com Ele diariamente e O conheciam de perto. É como se o Mestre estivesse nos dizendo: "Cada um terá acesso a uma área diferente da Minha vida, dependendo do nível de relacionamento". E precisamos seguir esse exemplo.

Cuidado com as pessoas que só querem o seu resultado, e não quem você é. Livre-se daqueles que se aproximam de você somente para usufruir do fruto do seu trabalho e suor. Busque se relacionar com pessoas que preferem a sua essência em vez das suas conquistas. Essa é a diferença: tem gente que é amigo; tem gente que é colega; e tem gente que é apenas conhecido. Nós devemos amar a todos, mas não somos obrigados a ter intimidade com todo mundo. Não precisamos aceitar todos os convites ou dizer "sim" por educação. Não temos de convidar a todos para ir em nossa casa. Não é nem sábio confiar em todo mundo ou considerar qualquer pessoa como melhor amiga. E, talvez, isso possa soar ofensivo para você, mas, não, não é. Você só está protegendo a sua embarcação de afundar na próxima tempestade.

Desafio

Existem fases em que precisamos de um ultimato para tomarmos uma decisão. Este é o ultimato que você precisava. Muitas vezes, estamos travados em certos ciclos ou lugares pelos relacionamentos tóxicos que permitimos em nossas vidas. Sendo assim, separe um tempo para analisar todas as pessoas com quem você convive diariamente. Classifique-as de acordo com o nível de intimidade. A partir daí, você poderá identificar quem são seus amigos ou colegas. Por fim, coloque uma meta de, todos os dias, fazer uma oração perigosa: "Deus, afaste de mim todas as pessoas que não têm de estar na minha vida e me aproxime das certas".

Não desista

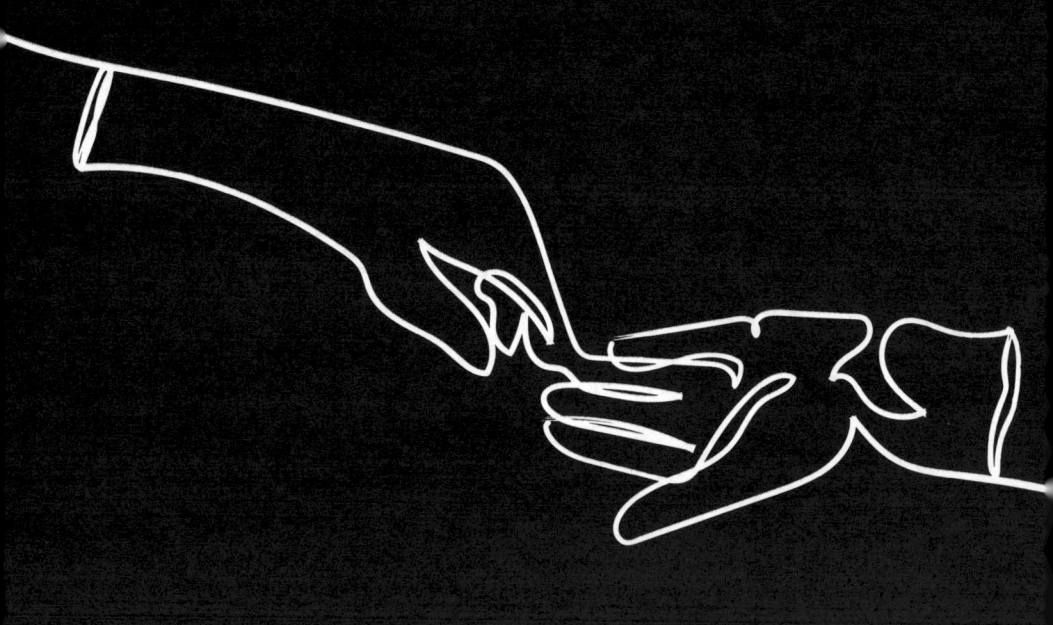

29

Leia: Mateus 14.22-33;
Romanos 12.11-12

Uma cena interessante se deu logo após a multiplicação dos cinco pães e dois peixinhos. Todos os cinco mil homens, sem contar mulheres e crianças, tinham comido, ficado satisfeitos, e os discípulos, ainda por cima, recolheram doze cestos cheios de alimentos que tinham sobrado. Foi quando Jesus, em seguida, ordenou a eles que entrassem no barco e fossem para o outro lado enquanto Ele despedia a multidão. Naquele momento, o Mestre lhes deu uma ordem incisiva e clara: "Entrem no barco e atravessem para a outra margem!" (cf. Mateus 14.22). Esse comando era necessário, porque, talvez, sem ele, aqueles homens não se moveriam. Isso, porque, em Mateus 8, os discípulos foram pegos de surpresa por uma tempestade, mas, na ocasião, Jesus estava no barco com eles. No entanto, em Mateus 14, eles teriam de enfrentar o mar sozinhos, e a Bíblia nos revela que, mais uma vez, um temporal os assolou.

Essa passagem sempre me faz refletir muito a respeito das tempestades que vivemos em nossas vidas. Talvez, o pior lugar para se estar no momento em que acontece um temporal seja no meio. Porque, querendo ou não, antes ou depois dele, temos um referencial. Quando o vemos chegando, reunimos a força necessária para correr e nos proteger. E, ao percebermos que está indo embora, sabemos que só será necessário aguentar por pouco tempo. Mas, quando não temos uma noção exata de em que ponto nos encontramos, perdemos todo o nosso foco, e a tendência é entrarmos em desespero. É nesse momento que muita gente comete as maiores atrocidades. Por isso, tantos pensam que o caminho mais fácil é desistir, pular do barco.

É verdade, a tempestade pode estar forte e parecer que não terá fim, mas só parece. Algo que nunca podemos perder de vista é que, por mais violenta e devastadora que possa ser, com Cristo, somos capazes de viver e superar qualquer coisa. Em Mateus 14, a ordem era ir. Não havia espaço para negociação. Com tempestade, sem tempestade; com vento ou sem; mar limpo ou mar agitado, a ordem era: "Vão para o outro lado!". Agora, ainda que o temporal pareça pavoroso e descontrolado, o que poderia ser mais forte que uma palavra de Deus? A tormenta? O vento? O mar? O medo daqueles homens? Não. Mais poderoso do que tudo era o Senhor que os havia enviado.

Quem sabe, hoje, você também esteja no meio de uma tempestade, e se esse for o caso, eu insisto: não pule do barco. Não desista, porque, se a ordem é chegar ao outro lado, você chegará. Continue dentro do barco, pois é ele que o ajudará a suportar o temporal. Temos de parar de desistir no meio do caminho. Quantas coisas estavam próximas de acontecer e não se concretizaram, porque, em vez de tirar a água da embarcação, decidimos pular fora? Por que, em lugar de gritarmos por socorro, desistimos? Por que, em vez de clamarmos o nome de Jesus, preferimos entregar os pontos? É incrível como muitas pessoas acreditam que pular do barco é a melhor alternativa. O que não entendem é que, quando vão embora, a única coisa que tinham como segurança física para se apoiar fica para trás. Porém, quem decide permanecer tem a chance de viver algo sobrenatural. Foi isso o que se desenrolou na continuação de Mateus 14. De repente, Alguém veio andando sobre as águas. Parecia um fantasma, mas era Jesus, que os encontrou no meio do caos. E foi nessa ocasião que, cheio de ousadia ao ver Cristo, Pedro sobrenaturalmente andou sobre as águas.

Está na hora de escolhermos as informações que dominam o nosso coração. Tem gente que perde a cabeça e pula fora. Enquanto outros vivem as melhores e mais sobrenaturais experiências de suas vidas apenas por permanecerem. Se está difícil, não desista, grite por Ele, porque não há sequer uma tempestade que Jesus não possa acalmar.

Oração

Pai, obrigado por sempre cuidar de mim e passar comigo pelos temporais da vida. Peço que me ensine a ser persistente e confiante na Sua Palavra. Por maiores que sejam as tempestades, que eu possa enxergar com os Seus olhos. Por favor, ajude-me a ter fé, a continuar e permanecer. Creio que, não importa a dificuldade, o Senhor me livrará e ensinará a forma como devo agir. Tenho convicção de que nem ondas, ventos ou situações adversas podem me tirar da rota que o Senhor destinou para mim. Em nome de Jesus, amém!

Deus não se atrasa

30

Leia: João 11.1-44;
2 Pedro 3.8-9

Todo mundo acha que os seus problemas precisam de soluções instantâneas. Desejamos que o socorro chegue, mas não daqui a duas horas, cinco dias ou dez anos; queremos agora; queremos "para ontem". Assim, a vida tem se tornado cada vez mais acelerada. Escutamos *podcasts* na velocidade 2.0 para não perdermos tempo, e somado a isso, ainda respondemos *e-mails* enquanto corremos na esteira. Tudo ao mesmo tempo. Parece que praticamente tudo agora é "para viagem", imediato, repentino e, se demorar muito, não serve. Muitos relacionamentos estão virando descartáveis, enquanto pessoas, na ânsia de não perder tempo e espaço, tornam-se viciadas em trabalho. Pedem suas comidas por um aplicativo e, em menos de 25 minutos, já recebem na porta de sua casa. As mensagens chegam em tempo real, assim como as *lives* e postagens em redes sociais.

Porém, ainda que o mundo pareça estar mudando, Deus não muda. Nossa vida pode estar acelerada, mas o tempo divino permanece no ritmo que Ele quiser. Não conseguimos acelerar ou atrasar o Senhor por acharmos que precisamos de uma solução agora. Deus opera no Seu tempo, conhecido como *kairós*[1], que é contínuo, eterno. Já o nosso tempo é o que chamamos de *chronos*[2], que é o equivalente ao do relógio

---

[1] KAIRÓS [2540]. *In*: DICIONÁRIO bíblico Strong. Barueri: Sociedade Bíblica do Brasil, 2002.
[2] CHRONOS [5550]. *In*: DICIONÁRIO bíblico Strong. Barueri: Sociedade Bíblica do Brasil, 2002.

e pode ser medido em segundos, minutos, horas, ou contado em dias, meses, anos, décadas, e por aí vai. É por isso que, muitas vezes, temos dificuldade de entender a maneira como Deus age. E com Marta e Maria não foi diferente.

A Palavra nos conta a respeito dessa história em João 11. Tanto uma quanto outra eram irmãs de Lázaro, que estava prestes a morrer, quando as duas enviaram uma mensagem para o Mestre pedindo que Ele viesse curá-lo. Acontece que essas mulheres não eram apenas pessoas desesperadas atrás de um Homem que elas sabiam que podia curar seu irmão; a família era extremamente próxima de Jesus, o que tornava tudo ainda mais complicado. Contudo, mesmo assim, Cristo não atendeu ao pedido delas assim que recebeu a mensagem. Inclusive, a Bíblia nos revela que o Senhor demorou quatro dias para chegar ao vilarejo de Lázaro, exatamente a quantidade de tempo que aquele homem já estava morto.

Marta, Maria e todos os presentes naquele velório tiveram de lidar com a dor, desesperança e a incerteza em relação ao milagre. O próprio Jesus, diante daquela morte, chorou, tamanho o amor que sentia por seu amigo e por aquela família. Mas, naquele momento, Cristo estava ensinando lições valiosas para todos ali. Paciência, resiliência, fé, contentamento e confiança; confiança de que, ainda que Deus não o tivesse curado, Ele continuaria sendo bom e sabendo o que aquela família precisava.

Marta e Maria, por melhores intenções que tivessem, não sabiam a dimensão do que lhes aguardava. Elas, enxergando pequeno, queriam a cura. Jesus, por outro lado, tinha a ressurreição. Às vezes, pedimos bênçãos e ficamos bravos ou desanimados quando elas não chegam no instante em que desejamos. Entretanto, Deus sempre tem coisas maiores e melhores do que pedimos; só que isso exigirá confiança n'Ele e submissão ao Seu tempo. Após compartilhar da dor dos que estavam no velório, as Escrituras nos dizem que o Senhor Jesus ressuscitou Lázaro, para a surpresa de todos ali.

Deus não Se atrasa. Ele está ouvindo cada oração, está recolhendo e guardando cada lágrima (cf. Salmos 56.8), enxergando a sua dor e obediência ao permanecer fiel mesmo sem ver ou saber quando irá acontecer. Foram tantas as coisas que pedi para o Senhor e que eu desejava que acontecessem na minha hora, mas não foi assim. Em algumas dessas ocasiões, Ele me mostrou claramente o que eu tinha de aprender, mas em outras, eu nem mesmo sei o motivo de não ter chegado no instante em que eu orava. Nem sempre vamos entender tudo, e tudo bem, porque a única coisa que precisamos saber é que Aquele que prometeu cumprirá, ainda que não seja no tempo em que esperamos.

Perguntas reflexivas

1. Você está passando por alguma circunstância desesperadora agora? Se sim, qual tem sido a sua reação diante disso? Tem abraçado o processo e confiado no Senhor, ou mergulhado em desilusão e incredulidade?

2. Você tem pessoas de confiança, maduras e tementes a Deus para o acompanharem quando as situações ficam difíceis? Se não, por quê?

3. De zero a dez, quanto você tem descansado no que o Senhor já lhe disse e prometeu?

Tudo aquilo que

nós, na verdade,

Deus planeja para

combina com Ele.

Quanto custa ser fiel?

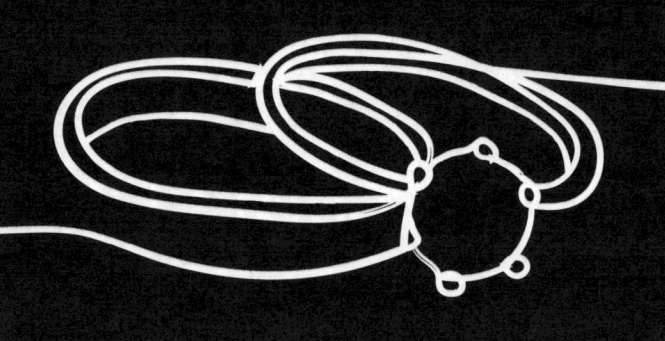

31

Leia: Daniel 3;
2 Timóteo 2.11-13

Assim como o dia mau, nunca sabemos quando a nossa fidelidade será testada, o que significa que, na maioria das vezes, não haverá tempo para prepararmos nossa reação. Foi isso que aconteceu em Daniel 3, com Sadraque, Mesaque e Abede-Nego, quando foram surpreendidos pela lei do rei Nabucodonosor, que declarava que todos os povos, nações e línguas deveriam se prostrar à sua estátua no momento em que certa música tocasse. O teste revelaria onde estava depositada a fidelidade de cada pessoa. Não havia tempo para se preparar, para descobrir a melhor forma de agir ou para pensar em algum plano mirabolante para reverter a situação. Naquele momento, as pessoas só reagiriam. O problema é que a reação delas revelava quem elas eram de fato.

A Bíblia nos conta que, de uma hora para outra, prostrar-se ou não significaria tudo. E foi justamente sabendo disso que Sadraque, Mesaque e Abede-Nego, sem pensar duas vezes, ao toque da música, escolheram permanecer de pé. Curiosamente, todas as vezes que somos fiéis a Deus, nós nos tornamos alvo de gente que não aceita a nossa fidelidade.

Quando nos posicionamos sobre algo que a maioria é contra, acabamos como foco das críticas, do ódio, dos discursos contemporâneos, afirmando que estamos errados. Há mais de dois milênios, nossa fé dá certo, é pregada e defendida nos quatro cantos da Terra e, apesar das dificuldades, milhares continuam sendo salvos, a Igreja segue crescendo e o Reino, avançando. Por outro lado, nunca paramos de ser perseguidos, mas talvez, mais do que nunca, o discurso de ódio tem se mascarado por trás do "politicamente correto" e destruído as pessoas. Com isso, em vez de se posicionarem de acordo com o que a Bíblia nos diz, muitos cristãos têm preferido ceder à pressão do coletivo e aderir ao que mais dá engajamento e "se parece mais com amor".

Quem não se posiciona é refém da opinião de todo mundo, e, quando isso acontece, qualquer pensamento serve; qualquer ideia é boa o bastante. Ter um posicionamento claro e bíblico não é fácil. Ele, diversas vezes, gerará inimigos, e a maioria não quer esse tipo de coisa no "currículo". A grande questão é que a Palavra já nos alertava a respeito disso. Não somos deste mundo, do contrário, ele nos amaria; mas como não pertencemos a ele, somos odiados (cf. João 15.19). O cristão não foi chamado para agradar as pessoas, "ser o bonzinho" na roda de amigos, nem para andar com uma camiseta de cruz ou leão. Não fomos comprados por um preço alto para vivermos de acordo os padrões do mundo, cegos por ideologias humanistas, ou tentando encaixotar o Evangelho em nosso estilo de vida pecaminoso. A Verdade nos transforma por completo. Ela muda a nossa cosmovisão [as lentes com que enxergamos a vida], mentalidade, comportamentos, caráter e todo o nosso entorno. É impossível andar com Deus e ser fiel a Ele sem ser transformado.

Agora, vale lembrar que a nossa fidelidade ao Senhor não é aprovada quando tudo está bem, e, sim, no meio da crise, quando somos rejeitados, excluídos e ridicularizados.

E se isso for necessário, quem de nós está preparado para ficar de pé quando todo mundo se prostrar?

A história dos três amigos de Daniel, para mim, é uma das passagens mais lindas das Escrituras. Não só porque eles demonstram coragem e fidelidade a Deus, mas porque nos confrontam a ser assim também. Essa deve ser a nossa resposta para o mundo. Não importa o que nos custará, não podemos nos prostrar diante dos testes que teremos em nossa vida.

Pela lógica, após terem sido jogados na fornalha, a história deveria terminar. Mas o que alguém chama de morte se torna apenas um passeio se sabemos Quem está conosco. Ali, naquela fornalha, o rei, esperando achar alguns cadáveres carbonizados, depara-se com quatro pessoas caminhando no meio do fogo. Sadraque, Mesaque e Abede-Nego foram encontrados pelo Senhor na fornalha, e não apenas saíram de lá ilesos e sem nem mesmo cheirar à fumaça, como foram honrados por servirem ao único Deus verdadeiro.

Todos os dias, eu sou questionado acerca do meu posicionamento sobre homossexualidade, aborto, feminismo e tantos outros temas polêmicos, mas a minha opinião não pode mudar porque os tempos mudaram ou porque o mundo está se transformando. Tudo pode passar, mas a Palavra permanece. O nosso Deus não muda! E se Ele é assim, nós devemos seguir o Seu exemplo.

Passos práticos

- Faça uma análise acerca das situações ou áreas da sua vida que exigem um posicionamento claro e incisivo [não apenas com relação a temas polêmicos, mas a tudo].

- Prepare-se para se posicionar. Estude a Palavra profundamente e ore a Deus por estratégias sobre o que fazer quando for questionado a respeito do que você acredita.

- Posicione-se com ousadia, sabedoria e amor, confiando e sendo fiel ao Senhor e à Sua Palavra.

Cuidado para não cair

32

Leia: 2 Samuel 11;
Provérbios 4.25-27

O ser humano é tentado, na maior parte das vezes, por aquilo que vê. Eu sei quais são os meus pontos fracos, e é por isso que sei exatamente para onde eu não devo olhar se quiser completar o meu propósito e terminar bem a minha jornada aqui na Terra.

Isso, porque terminar bem aquilo que iniciamos requer foco. Aliás, não é porque não começamos bem que não podemos fazer com que o nosso fim seja completamente diferente. É possível viver uma história com beleza, alegria e paz, apesar de enfrentarmos alguns tropeços iniciais.

E o inverso também pode acontecer. Por algum motivo, supervalorizamos o começo, mas, muitas vezes, nos esquecemos do fim. Talvez isso ocorra por termos a aparente sensação de que o "jogo" já está ganho, uma vez que pegamos o embalo certo. Só que o fato de termos avançado e vencido obstáculos no início e meio de nossa jornada não quer dizer que não possamos colocar tudo a perder no final. Estar lá em cima não significa que não se possa cair. É esse sentimento de segurança em nós mesmos que pode nos levar a uma queda brusca. Por outro lado, isso é muito mais difícil de acontecer se mantivermos nossos olhos no Alvo.

Ao longo da Bíblia, são incontáveis as histórias de homens e mulheres que acertaram e erraram muito em suas caminhadas, e cada uma das páginas da Bíblia não oculta a humanidade dessas pessoas. Muito pelo contrário; tirando Jesus, que jamais errou, todos os outros falharam. Nessa lista quilométrica de nomes, temos a narrativa de mentirosos e traiçoeiros, como Abraão e seu neto Jacó; assassinos, como Moisés; infiéis e mimados, como Sansão; idólatras, como Salomão; traidores, como Pedro e Judas; e também de adúlteros, como o rei Davi. Este último, por exemplo, deveria estar na guerra, como era o costume na época, mas, certa vez, decidiu ficar em casa e acabou se deparando com uma mulher chamada Bate-Seba, enquanto esta tomava banho. Ela devia ser muito bonita, porém era esposa de um de seus homens. Cego e distraído por seu próprio desejo, Davi não pareceu se importar com isso, e acabou dormindo com ela e provocando a morte de seu marido.

Todo engano começa justamente quando não nos encontramos no lugar onde Deus nos disse para estar. Como dizia a minha mãe, um homem não é levado a uma queda por meio de um grande erro, mas, sim, por conta de uma série de leves descuidos. É nos pequenos escorregões, que achamos ser inocentes, que acontecem as conversas que nem deveriam ter começado; as mensagens que não tinham de ter sido enviadas; situações em que nos colocamos e que normalmente pensamos que "não têm nada de mais". O que não paramos para refletir é que nenhum adultério tem início, de cara, em um quarto de motel, por exemplo. Começa como algo bobinho e até aparentemente inocente. Porém, é só desse pequeno deslize que Satanás precisa para destruir a nossa história e manchar tudo aquilo que construímos com Deus.

Eu me lembro de um conselho que recebi de um grande pastor há alguns anos. Ele me orientou: "A maior característica de um homem de Deus é ser irrepreensível". Quando os outros não têm o que falar sobre nós, podem até inventar o que quiserem; ainda que demore, a verdade prevalecerá. Assim, a história que é genuína e pura ficará de pé, e não as mentiras.

Você não precisa manchar a sua história. Só que, para isso, tem de estar focado naquilo que Deus lhe deu e tem para o seu futuro. Eu sei quais são as minhas fraquezas, e você também sabe as suas. Não permita que os seus olhos cobicem algo para o qual Deus não o direcionou. Não deixe que o seu coração vacile ou que as circunstâncias e pessoas o tirem do centro da vontade do Senhor, porque a dor da queda é terrível. Fora que é muito mais fácil cair do que levantar.

Não podemos negar o pecado de Davi, ou as nossas próprias falhas do passado. Elas aconteceram e não podem ser omitidas. Mas a Palavra de Deus afirma que há esperança. Assim como esse grande rei caiu, ele também se levantou. O nosso maior defeito, depois da distração e da queda, é nos autocondenarmos sem arrependimento. As Escrituras nos revelam que Davi, ao enxergar o seu erro, reconheceu sua culpa e se arrependeu. Se você caiu e se arrependeu verdadeiramente, existe misericórdia divina para você se levantar; há perdão de Deus e uma nova chance. É verdade, você precisará ter peito para reconhecer que errou, mas Deus é poderoso para levantá-lo, ainda que o buraco seja muito profundo. Portanto, erga-se, arrependa-se e receba o perdão do Céu. Agora, se você está de pé, cuidado para não cair.

Oração

Deus, muito obrigado pelo Seu perdão. Sei que nada pode me roubar da Sua presença, senão a minha distração e pecado. Mas ainda que eu caia, creio que existe uma chance no Senhor. O Seu sangue vertido na cruz é o selo que nos dá acesso a isso. Peço que me perdoe pelos tombos que levei. Eu me arrependo e oro, neste instante, para que o Senhor me lave, levante e restaure. Por favor, coloque os meus olhos somente no Alvo. Em nome de Jesus, amém!

Perdão

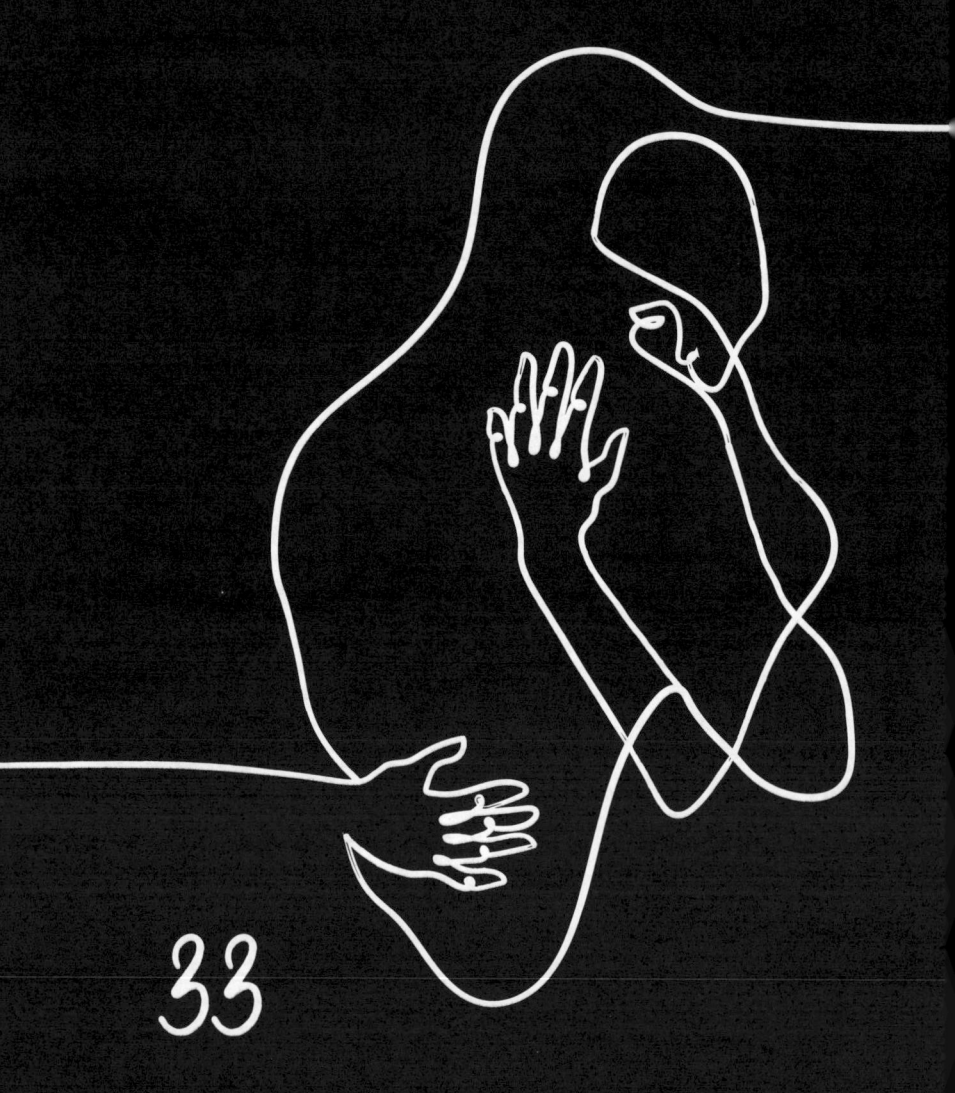

33

Leia: Gênesis 45.1-15;
Marcos 11.25-26

Todo início de ano, temos como costume fazer uma série de promessas e resoluções. Comprar um carro novo, fazer uma reforma na casa, jejuar "x" dias no ano, iniciar um curso superior, fazer exercícios físicos, ler mais a Bíblia, e por aí vai. Mas, na maioria das vezes, o que eu percebo é que nunca incluímos um item essencial para qualquer recomeço: o perdão. Ninguém coloca o ato de perdoar como uma prioridade ou base fundamental para viver algo novo; e, talvez, esse seja um dos motivos pelos quais estejamos numa era de tanto sufocamento e problemas emocionais. Ricos, pobres, homens, mulheres, idosos, jovens, quase todos, de modo geral, sofrem com a falta de perdão. Agora, o ponto de conflito é que os mesmos que desejam desfrutar de todas as bênçãos que o Senhor oferece são, em muitos casos, os que não dão o braço a torcer na hora de perdoar, não reconhecendo a necessidade de enxergar que o outro é tão merecedor de compaixão quanto eles.

Eu passei por algo muito parecido quando uma pessoa inventou algo sobre mim há alguns anos. Aquela mentira terrível, dita para me prejudicar, fez bem mais do que tentar me desanimar. Aquilo me feriu profundamente, gerando uma mágoa que eu levei por muito tempo. Certa vez, voltando de um compromisso, encontrei essa pessoa no aeroporto e, imediatamente, meu peito apertou. Eu me senti sufocado e entrei no avião orando para que ele não se sentasse do meu lado. Quando cheguei à minha cidade, foi que me dei conta: "Nossa, eu estou mal, e ele nem sabe disso". Aquele homem entrou no avião feliz, provavelmente nem me viu e, enquanto isso, eu parecia que ia morrer, passando mal e torcendo para que ele não me notasse. Ali, percebi o quanto precisava da revelação do amor de Deus por essa pessoa que me ofendeu. Era necessário enxergá-lo com compaixão, entendendo que, assim como ele me feriu, eu também estou propenso a fazer o mesmo com outras pessoas. Compreendi, naquele momento, que a ausência de perdão não mata quem não o recebe, mas, sim, quem o retém. A verdadeira raiz do problema está em nós; e reconhecer isso é o primeiro passo. Ainda que não tenhamos causado o mal, somos nós quem decidimos liberar o perdão ou não.

    José, o governador do Egito, alguém que sofreu grandes humilhações, dor, injustiças, mas que alcançou glória, favor, influência e um alto cargo na maior nação de sua época, não pôde escapar desse processo. Quando a fome assolou a região e seus irmãos foram obrigados a se dirigir à terra estrangeira em que ele estava vivendo e pedir por alimento, José agiu com sabedoria. Quem sabe, no lugar dele, teríamos feito de forma diferente?! Pense bem: ali estavam todos aqueles responsáveis pelos anos de sofrimento em sua vida. As pessoas que mais deveriam amá-lo e protegê-lo foram as que o venderam como escravo. Talvez, em seu lugar, eu e você teríamos usado essa hora para nos vingar. Mas José não. Ele entendeu que precisava liberar o perdão. Tanto é que, quando chegou o momento de revelar-se aos seus parentes, a Bíblia conta que o seu choro foi tão alto que pôde ser ouvido até mesmo na casa de faraó. Mesmo com as portas fechadas, sem interferências, ainda assim, a dor que estava aprisionada no seu âmago precisou ser colocada para fora. Naquele instante, ele foi curado, e a aliança com sua família foi restaurada. Todos puderam viver em harmonia, com a bênção de Deus sobre eles, mas não antes de o perdão ter sido liberado.

Portanto, não retenha o perdão, liberte-se! Chega de carregar a podridão que semearam em sua vida. Você não é caminhão de lixo; e, mais do que isso, se entregou Sua vida a Cristo, tornou-se templo do Espírito Santo. O que não pertence a Ele deve ser lançado fora. Abra mão do orgulho. Eu e você precisamos perdoar os que nos ofenderam. Sim, a lembrança fica, mas quando ela voltar, continue repetindo em oração: "Eu perdoo o(a) fulano(a)", até o processo ter terminado. Não fique doente por aquilo que Satanás plantou. Entregue a justiça nas mãos do Único que pode fazê-la da maneira correta. Nada passa despercebido por Deus. Nada fica impune diante d'Ele. Permita que Ele faça o que é justo em sua vida. E não se esqueça de que, um dia, você pode ter sido machucado, mas, em outro, você também ferirá alguém. Todos precisamos da graça, misericórdia e compaixão, inclusive você.

Desafio

O perdão cura, mas, como José, precisamos dar um passo em direção a ele como o Senhor nos ordenou. O perdão não é um sentimento; é uma decisão. Por isso, faça ligações, marque encontros, ou dê algum outro jeito de resolver as situações que têm travado a sua vida até hoje. Vale lembrar que não são todas as pessoas que precisamos pedir perdão ou comunicar que perdoamos diretamente. Tem gente que nem está mais viva, e necessitamos perdoar por ofensas que nos fizeram há anos. Nem temos mais contato com alguns, porque se distanciaram; outros nem sabem que nos ofenderam. Às vezes, o perdão será liberado em oração, em voz alta, no seu próprio quarto. Portanto, peça direcionamento e estratégia para o Espírito Santo a respeito de como deve proceder em cada situação.

Alegria pela manhã

34

Leia: Salmos 30.5;
Malaquias 4.2

"O choro pode durar uma noite, mas a alegria vem pela manhã" (Salmos 30.5b). Durante muito tempo, eu li esse texto com uma perspectiva muito limitada. Eu me questionava: "Toda noite tem fim, mas quem é que nunca acordou com um dia nublado, sem sol? Então, como a alegria pode surgir de manhã em um dia triste?". Eu pensava dessa forma, porque a minha cidade é conhecida no Brasil por ser muito nublada. Não são em todas as manhãs que o sol aparece. Na realidade, a maioria dos dias são cinzas, então, para mim, essa passagem nunca tinha feito muito sentido.

Acontece que, depois de lê-la diversas vezes e pedir que o Espírito Santo me mostrasse o que isso queria dizer, entendi que esse versículo se refere a algo que está além da circunstância que podemos acessar com os olhos naturais. A noite e o dia são dois tempos distintos. A noite é escura, o dia é claro; e este último só pode se iluminar por conta do sol. Dessa maneira, ainda que não o vejamos brilhando e emitindo o calor forte, ele está lá. Esse texto sagrado nos ensina a importância de enxergarmos o Senhor, o nosso Sol da Justiça (cf. Malaquias 4.2), apesar dos dias nublados, de irmos além do que as situações tristes e difíceis nos dizem. E, assim, termos a capacidade de perceber que Deus está conosco até mesmo nos momentos mais desafiadores.

Lidar com pessoas que estão passando por crises é complexo, porque, muitas delas, infelizmente, não têm força interna e maturidade na caminhada cristã para perceber que existe uma saída. Em geral, não enxergam a vitória que já foi decretada por Deus. Mas, basta que permaneçamos crendo em Seu caráter, justiça e amor, nunca sairemos perdendo de alguma situação por confiarmos n'Ele.

Ao continuar refletindo sobre o salmo em questão, lembrei-me de uma outra referência bíblica que me fez entender com mais clareza ainda o que seu escritor quis dizer. Lamentações 3.22-25 afirma:

> As misericórdias do Senhor são a causa de não sermos consumidos, porque as suas misericórdias não têm fim; renovam-se cada manhã. Grande é a tua fidelidade. A minha porção é o Senhor, diz a minha alma; portanto, esperarei nele. O Senhor é bom para os que esperam nele, para aqueles que o buscam.

Isso quer dizer que o amanhecer ganha um novo significado. Nem sempre nossos problemas serão resolvidos de um dia para o outro, mas temos a garantia de que todas as manhãs carregam oportunidades para recomeçarmos com Deus. E um recomeço é sempre motivo de alegria.

Todos passamos por situações difíceis. No entanto, diariamente recebemos lembretes do Céu a respeito do que não podemos nos esquecer. Sem as misericórdias do Senhor, já teríamos sido consumidos. Nem estaríamos vivos para sofrer, resolver as adversidades, e nos alegrar "na manhã seguinte". Ainda que exista tristeza por vivermos em mundo caído, graças ao sacrifício de Cristo, há também esperança, alegria e recomeço. O choro só dura enquanto o Sol da Justiça não chega, porque, quando Ele aparece, as trevas se dissipam.

Quando o texto sagrado diz: "O choro pode durar uma noite", na realidade, eu gosto de entender da seguinte forma: "Enquanto o Sol da Justiça não nasceu em nossa vida, nós permanecemos chorando". Em outras palavras, isso significa que o curso da nossa vida é transformado ou não à medida que permitimos que Jesus nos ilumine. Enquanto não deixamos a Sua luz entrar, a noite, o choro e a tristeza perdurarão por tempo indeterminado. Contudo, quando nos entregamos por inteiro a Cristo, a nossa perspectiva muda ao ser iluminada por Ele. Não temos de viver noites sem fim. Basta nos levantarmos do chão, abrirmos a janela e enxergarmos o Sol da Justiça além das nuvens. Uma coisa é certa: Ele está lá, e a cada manhã, a alegria e as misericórdias O acompanham.

Passos práticos

• Identifique e anote quais as áreas de sua vida que ainda não foram iluminadas por Deus. Dê preferência a aspectos mais abrangentes, como relacionamentos, trabalho, igreja, família, entre outros.

• Separe alguns minutos, agora, para orar sobre cada um desses tópicos, clamando para que o Sol da Justiça traga clareza na resolução desses problemas.

• Aplique esse posicionamento ao longo do seu dia, declarando Salmos 30.5, em especial, nos momentos de preocupação ou quando sentir ataques à sua mente.

• Seguindo as orientações do Espírito Santo, prolongue esse período por mais algum tempo, ou foque sua oração em uma área específica. Em alguns casos, vale a pena compartilhar seu propósito com algum parente ou líder, que poderá auxiliá-lo e continuar incentivando você a persistir.

Quem disse que quem cala consente?

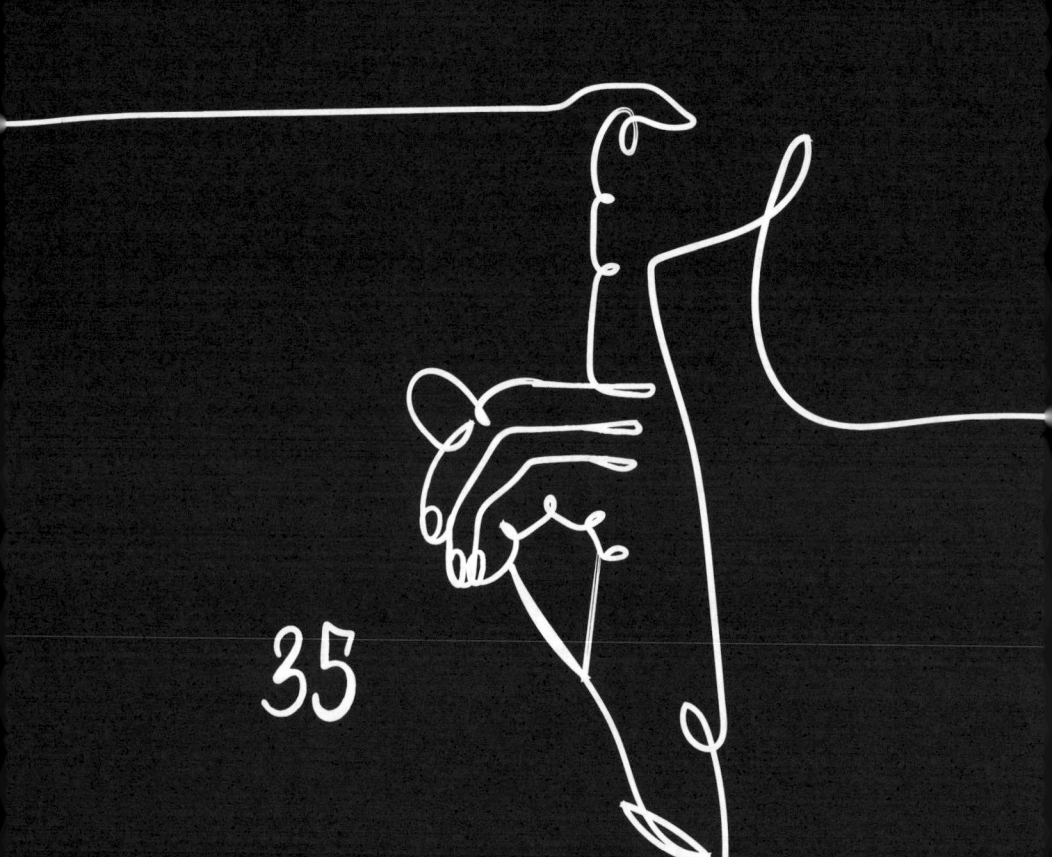

35

*Leia: Salmos 13;
Isaías 30.15-21*

Ninguém está preparado para lidar com o silêncio de Deus. Especialmente se essa pessoa está aguardando uma resposta específica. É por isso que tanta gente fica desesperada quando Ele Se cala. Inclusive, muitos entendem esse silêncio de maneira errada. Alguns chegam até a confundi-lo com Sua ausência. Mas isso não é verdade. O fato de o Senhor escolher permanecer sem Se pronunciar sobre algo não significa que Ele não esteja presente conosco nas situações. Não quer dizer também que esteja dizendo "não" para alguma pauta de oração. Na realidade, nesses momentos, não estamos recebendo nem "sim" nem "não", porque o silêncio de Deus não é resposta.

É verdade, há um ditado que diz que quem cala consente; mas isso pouco tem a ver com o Senhor. Até porque, quando Ele quer ser ouvido, sabe Se fazer escutar. É por isso que, nesses casos, não há indiretas; se Deus Se calou, Ele não está tentando passar uma mensagem subliminar por meio do silêncio. Calar é calar.

Agora, sendo sincero: não é fácil lidar com o silêncio, nem de Deus nem das pessoas. Veja só. Você já mandou uma mensagem para alguém, que visualizou e, mesmo assim, não retornou? De fato, é irritante, mas aposto que, assim como eu, você faz isso também. Nem sempre podemos responder na hora; às vezes, por falta de tempo, por estarmos em algum compromisso, lidando com algo mais importante ou até por não estarmos preparados para responder aquela mensagem em especial. Entretanto, quando nos referimos à Pessoa de Deus, não temos uma razão exata ou resposta pronta. Não sabemos o porquê de o Senhor decidir Se calar, mas temos a certeza de que Ele é bom, sempre faz o que é melhor e, mesmo nessas situações, continua trabalhando em nosso favor.

Constantemente, diversas pessoas me pedem ajuda, afirmando não conseguirem ouvir a voz de Deus. Às vezes, é porque, simplesmente, Ele não está dando uma resposta específica. Por outro lado, já vi muitos usando o silêncio do Senhor como uma desculpa ao pedirem sinais contra a lógica divina. Então, nesse caso, não é que Ele esteja calado, mas nós é que estamos nos fazendo de surdos diante do que Deus já respondeu. Alguns chegam até a bater de frente com Ele apenas porque não concordam com Seu posicionamento, querendo criar sua própria verdade. E é exatamente por conta disso que muita gente tem dado errado na vida. Muitos estão se casando errado; fazendo sexo antes do casamento; embriagando-se; usando drogas; envolvendo-se com toda sorte de coisas perversas; fofocando; vingando-se; fazendo amizades e sociedade com pessoas ruins; e têm a audácia de fingir que a voz de Deus não foi clara o suficiente.

Não existem atalhos para a Sua voz. Quer escutá-lO? Abra a sua Bíblia. Mastigue a Palavra, se debruce sobre ela e deixe que o Espírito Santo revele a vontade do Senhor, que já está expressa naquelas páginas. Caso a sua busca seja por uma resposta determinada, não há razão para ficar reclamando ou usar o silêncio divino como desculpa para fazer a sua própria vontade. Somente espere. Deus sabe o instante e o jeito certo de falar com você. Não aja antes da hora. Enquanto isso, peça por sensibilidade e discernimento não só para ouvir, mas para entender e aceitar aquilo que Ele disser. Afinal de contas, temos de estar preparados para escutar um "não".

Sobre isso, o livro de Provérbios nos diz que: "O coração do ser humano pode fazer planos, mas a resposta certa vem dos lábios do Senhor" (Provérbios 16.1). Ou seja, temos uma garantia: Ele vai responder. Por isso, se Deus falar para ir, vá. Se disser para ficar, não se mova. Porém, acima de tudo, ao escutá-lO, mesmo que não seja o que você quer ouvir, não se finja de surdo.

Oração

Deus, muito obrigado porque o Senhor fala comigo. Eu confio na Sua voz e também no Seu silêncio, porque sei que, ainda que não esteja falando algo específico, o Senhor sempre está presente, perto de mim. Eu amo as Suas palavras e a Sua presença; e peço que me mostre como permanecer fiel ao Senhor até o fim. Por favor, coloque mais amor pela Sua Palavra em meu coração, e me ensine a discernir a Sua voz. E se o Senhor não falar, ajude-me a confiar em Seu amor e aguardar a Sua direção. Em nome de Jesus, amém!

Sempre poderemos

ou desistir.

escolher continuar

Volte para casa

36

Leia: Lucas 15.11-32;
Isaías 43.18-19

A parábola do filho pródigo conta a história de um jovem que, em determinado ponto da vida, quis receber parte da herança de seu pai, que ainda estava vivo, e ir embora de casa. Entristecido, mas dando ao filho a oportunidade de escolher, aquele pai lhe entregou o dinheiro e, mesmo contrariado, permitiu a sua partida. Depois de algum tempo usufruindo de vários prazeres, o jovem insensato perdeu tudo o que tinha e, por conta disso, passou por muito sofrimento e necessidade. Contudo, ainda que se lembrasse da vida confortável, segura e cheia de amor que desfrutava em casa, teve vergonha e receio de retornar. Suas economias se perderam, suas roupas se tornaram trapos, e ele mesmo estava sujo, faminto e sem nenhuma esperança. O filho, que antes podia ter do bom e do melhor, naquele momento, não sabia se sobreviveria até o próximo dia, chegando, inclusive, a desejar o alimento dos porcos. O peso de ter abandonado sua família e o medo de retornar e recomeçar o impediram de lembrar que, apesar de tudo, ele ainda tinha um pai.

Assim também há inúmeras pessoas, hoje, que sonham em voltar para a casa do Pai, mas não sabem como fazer isso. Homens e mulheres que estão morrendo de fome, mas têm medo de retornar e comer no prato que abandonaram. E o interessante é que sua maior preocupação não é o Pai em si, mas os irmãos mais velhos, a opinião dos trabalhadores da casa, e até as fofocas da vizinhança. Assim como na história do filho pródigo, são esses que emitirão seus julgamentos. A dificuldade, portanto, não é sair do lar, mas voltar, porque somos levados a crer que não é possível restaurar o que nossas péssimas escolhas destruíram.

Quantas pessoas querem retornar para Jesus, mas pensam que isso significa apenas voltar para uma igreja? As suas memórias estão muito mais ligadas a um local específico do que à presença do Pai. Apesar de a vida em comunidade com a família de Deus ser indissociável da caminhada de todo cristão, a Sua presença é o que nos motiva a estar em casa.

A Bíblia diz que, quando o pai viu seu filho retornando, correu em sua direção para abraçá-lo, ignorando o cheiro, a sua fisionomia, suas vestes desgastadas e imundas, e o fato de o filho ter ido embora. Aquele pai desconsiderou tudo; menos a saudade e o amor que sentia por aquele jovem. A Escritura completa e nos conta que o homem, cheio de compaixão, lançou-se em seu pescoço, abraçou-o e beijou-o. O filho foi limpo da imundice, recebeu novas roupas, teve sua fome saciada e seu lugar restaurado junto ao pai.

Talvez você conheça alguém que deixou a casa do Pai. Quem sabe, essa pessoa é até mesmo você?! Seja qual for o caso, não se esqueça: a porta da casa nunca se fecha quando alguém vai embora, porque o Pai está sempre aguardando o retorno dos filhos que ama. É possível recomeçar; é possível reconstruir o caminho que se perdeu. Foi o Senhor quem disse: "Não vos lembreis das coisas passadas, nem considereis as antigas. Eis que faço coisa nova, que está saindo à luz; porventura, não o percebeis? Eis que porei um caminho no deserto e rios, no ermo" (Isaías 43.18-19 – ARA).

Para voltar para casa, não é preciso muito: você só tem de se arrepender, esquecer as desculpas [as roupas sujas, o mal cheiro, os olhares acusadores], e lembrar Quem está à sua espera.

Desafio

A chance de recomeçar está disponível para qualquer pessoa, inclusive para aqueles que, por algum motivo, perderam a esperança. Por isso, escolha alguém próximo, que está distante dos caminhos do Senhor e separe alguns dias para orar e jejuar em favor dessa pessoa. Lute por ela em espírito, pois nada acontece no físico sem antes acontecer no mundo espiritual. A decisão é dela, mas podemos e devemos nos colocar em oração por essa vida, crendo que Deus Se revelará a essa pessoa.

Nesse período, invista tempo também lendo a Bíblia, consumindo conteúdos que edifiquem seu corpo, alma e espírito, e esteja atento à voz do Espírito Santo e ao que Ele está compartilhando.

Quando finalizar, peça direcionamento ao Senhor sobre o que fazer em seguida. Talvez seja a hora de ter aquela conversa crucial com a pessoa por quem você está orando ou aproveitar a oportunidade para convidá-la a visitar sua igreja. Seja como for, creia, pois Deus pode refazer qualquer história.

Falta alguma coisa

37

*Leia: Salmos 51.10-12;
João 15.1-10*

Do rico ao pobre, não há um ser humano que não sinta um vazio no peito. O dinheiro, as posses e as possibilidades que uma situação econômica favorável podem oferecer parecem seduzir a muitos como se fossem a solução de todos os seus problemas. Mas não são. Eu conheço muita gente bilionária que, apesar de ter tudo o que deseja, diz que ainda falta algo. Olhando para a vida deles, vemos carros esportivos na garagem, avião particular, mansão com vários quartos gigantes, uma mulher ou esposo bonitos, roupas de marca, restaurantes caros, e a vida idealizada como perfeita. Mesmo assim, eles me dizem que, quando deitam a cabeça no travesseiro, um sentimento parece sufocá-los. Tentam remediar a situação com mais compras, férias prolongadas, festas, bebidas, mas quando tudo acaba, o vazio permanece lá, intocável. E isso não é privilégio dos mais ricos. Um humilde ribeirinho, que vive da pesca, também sonha com uma rede melhor para dormir, iscas mais eficazes, ou pode, até mesmo, invejar o barco de algum colega de trabalho, acreditando que só então estará satisfeito. Mas tanto em um caso como em outro: nos paraísos mais luxuosos ou nos barracos mais simples, sempre falta alguma coisa.

Todo ser humano tem um vazio dentro de si. Ninguém está isento de experimentar essa sensação. O mundo inteiro está atrás dessa "alguma coisa", que, na maioria das vezes, nem sabe o que é. O problema está em acharmos que a nossa deficiência, a carência do nosso coração, está ligada a coisas externas, quando, na verdade, ela se encontra dentro de nós. Hoje, pela graça de Deus, eu tenho uma casa legal, um carro muito bacana, uma vida tranquila, e coisas que sempre foram meu sonho, mas não foi assim desde o início. Lembro-me de quando morava em um apartamento pequeno, tinha um carrinho velho, trabalhava e pagava a faculdade com o dinheiro contado, torcendo para que o aluguel não aumentasse ou algum imprevisto surgisse. Contudo, não foi a fama, a popularidade e as conquistas que me sustentaram ou motivaram por tantos anos. Se a minha base estivesse em coisas tão fúteis, talvez hoje eu nem estivesse escrevendo estas páginas. O tempo inteiro, Jesus ocupou todo o espaço dentro de mim.

Nós, todos nós, somos vazios. Sem Jesus, estamos mortos espiritualmente. Por fora, podemos aparentar beleza, riqueza e alegria, mas nada disso importa se aqui dentro não habita Aquele que tem capacidade de nos preencher por inteiro. Enquanto não tivermos um encontro real com o Criador, somos um galho caído no chão que só serve para ser queimado. Nossa aparência pode até ser bem-sucedida e causar inveja nos mais ingênuos, mas, se não estamos enxertados na Videira, nenhum fruto verdadeiro será produzido, e se não geramos fruto nenhum, servimos para quê (cf. João 15.1-10)? Precisamos de Deus. Fomos projetados para nos completarmos n'Ele. O único modo de nos sentirmos cheios, satisfeitos e realizados é quando estamos rendidos aos Seus pés. Pessoas, lugares, fama, seguidores em redes sociais, festas, viagens, dinheiro e tudo o mais que pudermos imaginar não tem o poder de nos preencher.

É fato: ninguém está imune ao vazio, mas todos podem ter acesso à chave que irá preenchê-los. Somente Deus, Aquele que fez o coração humano, é que tem a capacidade de inundá-lo e satisfazê-lo; e foi justamente em razão disso que Ele decidiu completá-lo com Ele mesmo. No entanto, o Senhor não é um invasor. É por isso que, todos os dias, Ele está à nossa porta, batendo, e esperando a hora em que permitiremos a Sua entrada. E quando isso acontecer, o vazio não terá mais lugar; apenas a Sua companhia será a medida certa que nos saciará.

Perguntas reflexivas

1. Você tem sentido um vazio no seu coração? Se sim, analise e pergunte a si mesmo as principais raízes desse problema e quais atitudes pode tomar para remediá-lo.

2. Quais têm sido as suas prioridades nos últimos meses? Esses objetivos estão alinhados com a vontade de Deus e estão em equilíbrio com sua vida espiritual?

3. O que você fará hoje para se aproximar ainda mais da presença do Senhor?

Não existe vida perfeita

38

Leia: Eclesiastes 3.1-4

Confesso que admiro muito quem acorda sorrindo, porque não é todo dia que a gente amanhece feliz. Quando estou no aeroporto, de madrugada, voltando de algum evento, por exemplo, e aparece alguém pedindo para tirar foto comigo, tem vezes que eu não me sinto disposto, pois a minha vontade era estar deitado na minha cama. Mas a vida real me cobra uma decisão imediata. É claro que sou sempre simpático, mesmo que, no fundo, eu esteja tão cansado que quisesse fazer cara de paisagem. Agora, existe uma grande diferença entre agir com respeito e passar uma falsa imagem sobre mim. E esse é o problema de sustentar uma vida fictícia. Todo aquele que tentar vender um estilo vida perfeito está fadado ao fracasso.

Você já parou para pensar que, hoje, principalmente por conta das redes sociais, parece que todos são tão felizes, que nós parecemos ser extremamente azarados, ou que nascemos na família, ou no lugar errado? Às vezes, eu fico assustado com as tentativas absurdas dos outros de tentar provar que vivem no paraíso, quando, na verdade, essas mesmas pessoas são as que me enviam mensagens desesperadas no privado, pedindo ajuda. Se você soubesse a realidade de metade dos casos que chegam até mim, ficaria horrorizado. Belas mulheres, homens de sucesso, com perfis cheios de fotos e vídeos extraordinários, exibindo belos pratos, viagens e riqueza, mas que não têm paz para dormir uma noite inteira. Gente angustiada, clamando por socorro.

Mas não para por aí. As pessoas estão tão alienadas por essas ilusões que, quando olham para mim, um pregador da Palavra, acreditam que minha vida seja perfeita. Talvez, porque eu poste uma foto da minha esposa ou dos meus filhos, pensam que em nossa casa não há brigas. Mas minha família não é impecável. Temos nossos momentos de alegria, mas há também outros em que o tempo fecha. Há dias em que não estou com paciência de olhar na cara de ninguém, mas como filtramos aquilo que os outros veem, não existem testemunhas da realidade, apenas os cegos hipnotizados por um ideal de perfeição inexistente.

Mas qual seria a causa de tanta infelicidade e miséria nas relações em nossa geração? Prioridades erradas geram histórias disfuncionais. Parece que o ser humano sempre precisa se comparar com alguém para se sentir melhor ou pior. A falsa sensação de se enquadrar nos padrões ou ser amado pelas multidões talvez nos satisfaça por algumas horas. Mas não adianta nada ser reconhecido por todos, e não ser conhecido por Jesus. Não há nenhum proveito em desfrutar de tudo o que o dinheiro pode oferecer, e não ter a essência da vida, que é Cristo.

Ninguém vive feliz sete dias por semana. Eclesiastes 3 nos diz que há tempo para todas as coisas, inclusive para sorrir e chorar. Em outras palavras, ninguém dorme e acorda feliz e sorrindo o tempo inteiro, assim como ser humano nenhum tem uma rotina constante de tristeza e choro. Na vida, existem os dias ensolarados e os chuvosos. Nem tudo pode dar certo a todo instante, mas é aí que quem tem Jesus encontra sentido na existência. Quem está enraizado em Cristo, seja no dia bom ou mal, tem esperança. Ele é a nossa alegria em meio à tempestade, e também Aquele que nos desperta para a realidade quando o orgulho e a comparação tiram nossos pés do chão.

Precisamos começar a ser mais verdadeiros e filtrar nossas emoções, não a partir do que está sendo vendido na *internet*, na televisão ou naquilo que é estampado nas avenidas, mas de acordo com o que Jesus diz e a forma como Ele viveu. O Mestre tinha Seus momentos de alegria e de tristeza; de aprendizado e de ensinamento; de compaixão e indignação. Ele viveu a vida como ela é, e não tentou negá-la ou ignorar um aspecto mais difícil de lidar com a desculpa de "ser feliz". Portanto, não se cobre por aquilo que é fictício, e, sim, pelo que é real. Quer se cobrar por alguma coisa? Seja mais exigente para ter um caráter melhor, para ser um marido fiel, uma esposa sábia, um filho obediente. Esforce-se pelo que é verdadeiro, genuíno, e não pelo que não existe. Porque a vida, assim como nós, é imperfeita.

Oração

Pai, muito obrigado, porque independentemente de os dias serem bons ou ruins, o Senhor está sempre comigo. Peço que abra os meus olhos para a realidade de que sou ser humano e dependo do Senhor. Não permita que eu seja guiado pelos padrões de beleza, felicidade e realização do mundo, mas me dê a Sua perspectiva e revelação acerca de quem eu sou. Por favor, me ensine a viver a vida como ela é, sem ignorar os sentimentos ou fingir que os problemas não existem, mas tendo a Sua Palavra e a voz do Espírito Santo como os meus parâmetros. Em nome de Jesus, amém!

O sofrimento ensina

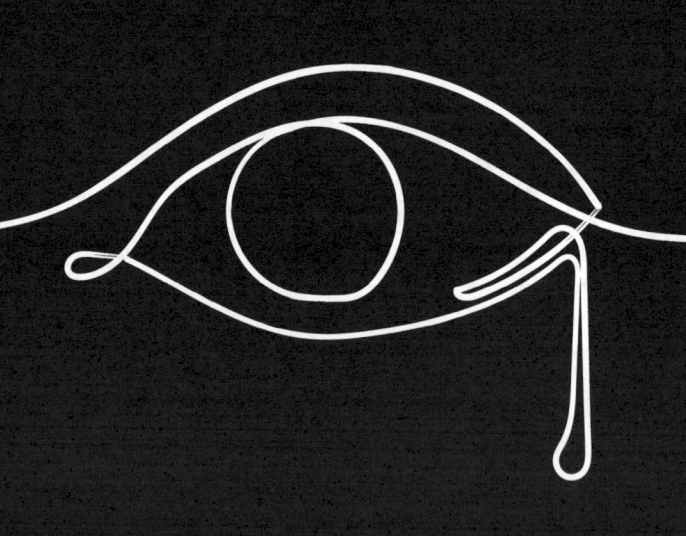

39

Leia: Romanos 5.1-5

Eu arrisco dizer que a melhor forma de o ser humano aprender alguma coisa é por meio de um cenário de sofrimento. A dor, durante um curto espaço de tempo, tem a capacidade de nos ensinar aquilo que anos e anos de vida boa não conseguiriam. Ao longo da História e da Bíblia, encontramos vários exemplos em que Deus utilizou alguns episódios de dificuldades para trabalhar nas feridas do Homem e trazer cura. É evidente que Ele nunca colocou ninguém na posição de ser machucado, mas permitiu que o ser humano passasse por situações complicadas para curá-lo, transformá-lo e tirá-lo do lugar comum. A vida é um caminho de escolhas. Uma escola em que você decide se quer ou não aprender com as lições. É nos momentos difíceis, por exemplo, que, na maior parte das vezes, temos um contato mais profundo com Deus. E em minha vida não foi diferente. Os períodos mais complexos foram também os que eu estive mais perto de Jesus e dependi d'Ele.

Quando eu tinha 25 anos, fiz um voto com Deus: tomei a decisão de ser um pregador do Evangelho, e não um advogado. Naquela época, eu e a Paulinha vivíamos no sufoco, cada um trabalhando em um emprego, pagando a faculdade, o apartamento, contas e mais contas, e nunca conseguíamos fechar o mês no azul. Sempre que o dinheiro faltava, meu pai ajudava com alguma despesa. Eu não aguentava aquela situação e, no momento em que larguei tudo para viver o meu propósito, disse ao Senhor: "Eu irei, mas nunca mais quero pedir ajuda para o meu pai ou qualquer outra pessoa. Se for para viver dependendo do Senhor, eu não quero depender de mais ninguém. Eu é que quero ser a pessoa que vai abençoar e ajudar outras!".

No entanto, viver da pregação não é nada fácil. No início, eu vivia à base de ofertas. Não era um cachê. Eu era convidado para pregar em alguma igreja, e depois os irmãos me abençoavam com a quantia que era possível. Até que, certa vez, depois de ter feito aquela oração e começado oficialmente no ministério, fui pregar em uma igreja, e recebi um envelope no final do culto. Cheguei em casa, abri a oferta, e a igreja havia me abençoado com R$600,00. Comecei a fazer as contas no meu caderninho de despesas e, por fim, percebi que ainda faltavam R$300,00 para fechar as contas do mês. Apesar de estar com o meu coração apertado, não liguei para o meu pai. Em vez disso, chamei minha esposa, dobramos os joelhos juntos na sala de casa, e eu orei: "Jesus, sei que Você está ouvindo essa oração; eu preciso de uma resposta. O Senhor me chamou para viver do ministério, e eu obedeci. Mas não temos como pagar essas contas, precisamos de socorro!". No dia seguinte, uma segunda-feira, eu precisava quitar os boletos. Acordei cedo, fui para a rádio onde trabalhava e, de repente, o líder da igreja do dia anterior apareceu do nada. Ele esticou a mão e disse: "Deive, tenho um envelope aqui para você". Peguei, saí correndo para o banheiro, abri aquela cartinha e me deparei com um bilhete que dizia: "A bênção continua". Quanto tinha lá dentro? R$300,00, exatamente.

Experiências assim jamais podem ser apagadas da nossa memória. São elas que não permitem que o nosso coração se perca. Hoje, pela graça de Deus, eu não dependo mais de ofertas, mas permaneço em total dependência do Senhor para tudo o que faço, inclusive para pagar as contas, ainda que eu tenha uma renda mais estável.

Quando decidimos ouvir a voz de Deus e obedecer, ainda que seja difícil, ainda que soframos muito em alguns momentos, nós colhemos os frutos. Deus mudou tudo em minha história, e não pense que Ele nos deixou confortáveis ou nos poupou das dores, mas valeu e continua valendo a pena. O sofrimento, por pior que seja, não dura para sempre. E diante dele, a cada circunstância, temos duas opções: fazer das dificuldades a nossa muleta para desistir, ou o degrau para subir mais alto em nossa história. Você pode escolher enxergar apenas um deserto cheio de sofrimento, ou decidir confiar em Deus e desfrutar, no meio da dor, do lugar de provisão divina, de onde sairá mais forte e parecido com Jesus. Só depende de você.

Passos práticos

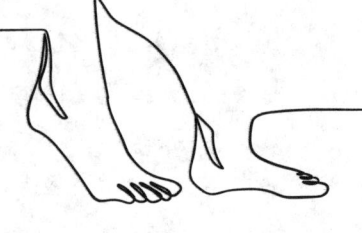

Declarar a Palavra de Deus é umas das ferramentas espirituais mais importantes quando passamos pela escola do sofrimento. Por isso, não tenha medo de usar esses versículos nas horas difíceis, crendo em cada palavra que você proferir. Sim, faça isso em voz alta, confiando que a Palavra de Deus não volta vazia, mas cria realidades no mundo físico e espiritual:

• Tu, Senhor, conservarás em perfeita paz aquele cujo propósito é firme, porque ele confia em ti. (Isaías 26.3)

• O Senhor é a minha rocha, a minha fortaleza, o meu libertador; o meu Deus, o meu rochedo em que me refugio; o meu escudo, a força da minha salvação, o meu alto refúgio. (Salmos 18.2)

• Falei essas coisas para que em mim vocês tenham paz. No mundo, vocês passam por aflições; mas tenham coragem: eu venci o mundo. (João 16.33)

E se hoje fosse seu último dia?

40

*Leia: Tiago 4.14-17;
Apocalipse 21-22*

Hoje. Isso é tudo o que você e eu temos. Muitas pessoas focam todos os seus esforços no passado ou no futuro, na ânsia de tentar mudar ou prever algo, e acabam por desperdiçar a única coisa que, de fato, têm em suas mãos: o agora. A nossa vida é curta, finita; um dia estamos aqui e, de repente, tudo acaba. É como Tiago escreveu: "Vocês não sabem o que acontecerá amanhã. O que é a vida de vocês? Vocês não passam de neblina que aparece por um instante e logo se dissipa" (Tiago 4.14). Isso quer dizer que a morte é uma das poucas certezas que temos a respeito da vida. Não importa a sua classe social, religião, cultura ou até mesmo em que época da História está vivendo, uma coisa é certa: ninguém pode adiar o seu último dia aqui na Terra. Soa fúnebre, mas apenas se, para você, a morte for realmente o fim. Afinal, para quem conhece o Evangelho, é só o começo. Quem serve a Jesus tem uma esperança: a fé de que um dia a nossa vida será eterna. Para os que estão em Cristo, existe uma promessa de que, quando Ele voltar, nós iremos morar em um lugar onde não haverá choro, maldade, dor, tristeza, miséria, saudade nem solidão. Caminharemos por ruas de ouro em uma cidade que não precisará de sol, pois será iluminada pela própria glória de Deus (cf. Apocalipse 21). E, acima de tudo, veremos o Senhor face a face [e essa, sim, é a nossa maior recompensa] (cf. Apocalipse 22).

Por outro lado, o que muitos se esquecem é que a vida eterna que tanto sonhamos e desejamos começa aqui, agora. São as nossas escolhas de hoje que determinarão a vida que teremos futuramente, tanto aqui na Terra quanto no Céu. Você não sabe o que acontecerá amanhã, depois, nem mesmo daqui a cinco horas. Mas tudo o que tem em suas mãos é este instante. Exatamente agora. E é o que você fará com isso que pode mudar completamente a sua história.

Em 11 de setembro de 2001, aconteceu uma tragédia horrível no mundo: o ataque terrorista contra o complexo empresarial World Trade Center, localizado em Nova Iorque (EUA). Naquela manhã, aviões com pilotos suicidas se chocaram contra as Torres Gêmeas e mataram milhares de pessoas.[1] Quantos policiais saíram de casa pela última vez naquele dia 11? Quantos bombeiros saíram de casa pela última vez? Quantos engraxates, pais, executivos, maridos, faxineiros, médicos, esposas, militares, filhos e tantos outros fizeram seu último trajeto pela cidade até o trabalho? Será que as vítimas e suas famílias teriam feito algo diferente se soubessem que aquele dia seria o fim? Eu acredito realmente que sim.

Não deixe nada importante para amanhã. Decida demonstrar amor **hoje**. Escolha, **neste momento**, perdoar os que o ofenderam e feriram. Ter compaixão e misericórdia. Sorrir mais. Finalmente, criar coragem e chamar aquela garota para sair. Assistir a um filme divertido com seus filhos. Voltar a andar com Deus, se estiver longe. Entrar na faculdade; parar de reclamar; honrar seus pais; pedir perdão; fazer uma surpresa para o seu marido; perdoar-se; cuidar da sua saúde e vida financeira; visitar seus parentes; manter o coração grato; pedir conselhos para os seus avós; e, principalmente, ouvir e obedecer a Deus.

---

[1] **Atentados do 11 de setembro**: o que aconteceu? Publicado por *Politize!* em 06/01/2020. Disponível em *https://www.politize.com.br/atentados-11-de-setembro/*. Acesso em março de 2021.

Diante de tudo isso, a pergunta que fica é: e se hoje fosse o seu último dia na Terra? Qual seria a história que contariam sobre você? Que legado deixaria para a sua família e para o seu país? O que seus filhos diriam a seu respeito? E sua esposa ou marido? Seus pais? E mais: o que Deus diria sobre você? Não é tarde. Você ainda tem o agora; faça algo com isso hoje. Viva intensa e profundamente, nunca se esquecendo de que o sacrifício de Cristo nos possibilitou ter vida, e não só isso, mas vida em abundância e eterna. Viva. Espalhe vida. Compartilhe Jesus. E lembre-se: enquanto há fôlego, existe possibilidade de mudança. Com isso, tenha certeza: há esperança.

Desafio

Pense por alguns instantes nas pessoas que você precisa perdoar e nos problemas que poderiam ser resolvidos apenas com uma ligação. Entre em contato com elas, peça perdão, reconcilie-se e coloque um ponto-final em questões do passado. Se possível, marque um encontro presencial e seja transparente. Além disso, separe um momento ao longo da semana para dizer às pessoas ao seu redor o quanto as ama e o que elas significam para você. Faça surpresas. Seja criativo e verdadeiro, e não se esqueça de ser você.

Oração final

Enquanto escrevia este livro, senti de deixar esta oração para você que sentiu Deus falando ao seu coração e lhe convidando para andar com Ele agora e para sempre. Você é amado, perdoado e pode ser inteiramente transformado pelo Seu amor e verdade. Se, hoje, você deseja aceitar Jesus como seu Senhor e Salvador, e construir uma história com Ele, repita em voz alta e com todo o seu coração, crendo que Ele é real e está ouvindo:

Senhor Jesus, muito obrigado pelo Seu amor e sacrifício por mim naquela cruz. Eu reconheço que não consigo sozinho e preciso do Senhor. Hoje, me arrependo de todos os meus pecados e, voluntariamente, entrego-Lhe a minha vida. Por favor, limpe o meu coração, mude a minha história e me ajude a perseverar até o fim. Deus, eu peço ao Senhor: escreva o meu nome no livro da vida e me mostre, a cada dia, o quanto o Senhor é real e me ama verdadeiramente. Em nome de Jesus, amém![1]

---

[1] Se você fez essa oração, é importante se engajar em uma igreja local séria para ser acolhido, ajudado e instruído em sua caminhada cristã. Precisamos uns dos outros. Além disso, gostaríamos muito de escutar o seu testemunho. Se você aceitou a Jesus e passou a caminhar com Ele por meio desta oração, mande o seu testemunho para nossas redes sociais ou marque a gente em seus *stories* e publicações: @deiveleonardo e @editora4ventos.

O seu coração vale
―――――――――――――

a vida de Jesus.
___

Considerações finais ☑

Há quarenta dias, você provavelmente era uma pessoa diferente. O meu desejo é que estas páginas tenham lhe proporcionado inúmeras experiências intensas e marcantes com o Senhor. Talvez, lá no começo, dedicar tanto tempo em constância, sendo incentivado de diversas maneiras, possa ter sido desafiador. Ou não. Quem sabe, você tirou de letra?! Mas, seja como for, chegou até o fim. Eu espero que, a partir de agora, seu relacionamento com Deus tenha alcançado um novo nível de entrega, compromisso e intencionalidade, permitindo que Ele tenha acesso irrestrito ao seu coração, sonhos e mente. Que o Senhor alargue a sua visão, e que o seu futuro seja cheio de paz, esperança e expectativa por mais da Sua Presença.

Não importa se este foi o seu primeiro devocional, uma oportunidade de renovar seu compromisso com Deus ou até mesmo aprofundar seu relacionamento com Ele, algo não pode ser deixado de lado: este é apenas mais um passo. Não pare. Nem olhe para trás. Não desperdice ou abra mão da chance de se aproximar de Jesus a cada instante. O que você experimentou nestes quarenta dias é apenas uma pequena e simples porção daquilo que pode ser construído e descoberto n'Ele.

Como você deve ter percebido, a oração, o jejum, a leitura bíblica, a reflexão e a prática são aspectos trabalhosos dessa edificação. Apesar de ser maravilhosa e incomparável, não são todos que estão realmente dispostos a estabelecer a vida com Deus como uma prioridade. O tempo todo, o cansaço, as mídias sociais, os compromissos, o Diabo e até nós mesmos tentaremos arranjar formas de nos dizer que o que fizemos até aqui é suficiente, ou que não há razões para nos esforçarmos tanto. Mas só quem persiste, dia após dia, recebe a coroa da vida (cf. Apocalipse 2.10), encontra satisfação completa na presença de Deus e a vida em abundância, prometida por Ele (cf. João 10.10).

Por isso, se eu pudesse lhe deixar uma última recomendação, diria: continue. Continue firme. Existe muito, muito mais além daquilo que você viveu nestes últimos dias. Na verdade, só esta vida não bastaria para conhecer o Senhor; e Ele, sabendo disso, nos presenteou com a vida eterna para que pudéssemos desfrutar plenamente da Sua presença, paz, alegria e esperança para sempre. E, nesta caminhada, você logo perceberá que isso é tudo o que você precisa.

Este livro foi produzido em Adobe Garamond Pro 12pt
e impresso pela Gráfica Maistype sobre papel offset 75g
para a Editora Quatro Ventos em novembro de 2023.